LE FRONT NATIONAL

JEAN-YVES CAMUS

LES ESSENTIELS MILAN

Sommaire

Les mots suivis d'un astérisque (*) sont expliqués dans le glossaire.

Le Front national sur le chemin du pouvoir ?

Depuis 1945, le Front national est le seul parti français d'extrême droite à avoir une audience de masse.
Son succès coïncide avec celui d'autres mouvements similaires en Europe. Tous profitent de la crise des structures de l'économie libérale, de la perte de confiance dans les institutions démocratiques, du questionnement légitime sur l'identité nationale au sein d'une Europe intégrée.
Populiste, ultranationaliste, xénophobe* et autoritaire, le FN n'est pas un fascisme car il ne rompt explicitement ni avec la démocratie parlementaire, ni avec le capitalisme.
C'est un parti de la droite radicale qui érige la Nation en valeur suprême, rejette les valeurs républicaines d'égalité et d'universalisme, défend une économie fondée sur la petite entreprise individuelle et où le rôle de l'État serait réduit au minimum.
Il désigne comme principaux responsables des problèmes de la France l'immigré, l'étranger ou le Juif.
Devenu désormais en France la seconde force de la droite, le Front national s'inscrit dans une logique de conquête du pouvoir.

Question de définition

Comment définir le Front national ? Est-il d'extrême droite ? Est-ce une résurgence du fascisme ? Il faut refuser les simplifications abusives.

Une droite radicale

Le terme « extrême droite » est parfois utilisé de manière polémique et disqualifiante contre le FN. Il n'est pas totalement exact car il suggère une continuité d'idées entre la droite démocratique et le FN.

Or celui-ci rompt avec le consensus minimal qui soude les partis de droite et de gauche autour d'un socle commun : les valeurs républicaines issues de la Révolution française. Nous n'utiliserons donc les mots « extrême droite » que pour simplifier.

Le FN est plutôt une droite radicale qui, selon l'historien italien Dino Cofrancesco, « *ne se reconnaît pas dans la société ouverte et ses institutions et propose un modèle politique et social différent, selon lui plus conforme à la nature humaine que celui existant* ».

Pour lui l'intérêt supérieur de la Nation passe avant l'exercice des libertés. Il nie l'égalité entre les individus et veut limiter l'action redistributrice de l'État. Le Front national veut une République autoritaire dont ne seraient citoyens que ceux qui ont hérité la qualité de Français. Il ne défend donc pas simplement une version plus conservatrice des idées de droite.

Un fascisme ?

Le FN n'est pas encore un fascisme. Il fédère plusieurs traditions idéologiques : celles – vivaces parmi ses cadres mais peu suivies par son électorat – de la contre-révolution*, des fascismes français et de la Révolution nationale et celle – majoritaire parmi ses électeurs – de la droite plébiscitaire et populiste*. C'est ce que le philosophe Pierre-André Taguieff appelle un national-populisme.

Droite plébiscitaire
Partisan de l'arrivée au pouvoir d'un homme fort et qui fait ensuite confirmer sa position par un scrutin populaire non libre.

Le FN deviendra fasciste s'il cesse de s'exprimer dans le cadre légal et de participer aux élections, s'il cherche à arriver au pouvoir par un coup de force.

« Le FN est devenu,
autant que le Parti communiste hier,
le Parti national-socialiste avant guerre,
un parti du peuple. »
Jean-François Kahn, directeur de l'hebdomadaire Marianne

Une spécificité française ?

Le FN n'est pas le plus puissant parti nationaliste d'Europe : le FPÖ (*Freiheitliche Partei Österreichs*, « Parti libéral autrichien ») atteint 25 % des voix et l'Alliance nationale (AN) italienne (15,7 %) a participé, en 1994, au gouvernement de Silvio Berlusconi.
Mais, alors que l'AN prend ses distances par rapport à l'héritage du fascisme et devient une droite conservatrice, le FN se radicalise et seul le *Vlaams Blok* flamand (fondé en 1978) lui ressemble à cet égard.
Le FN est toutefois le plus structuré des partis de la droite radicale européenne. Son action génère une contre-mobilisation qui n'a d'équivalent nulle part ailleurs. Plus que ne le sont le FPÖ et l'AN, il est tenu à l'écart par les partis démocratiques. La spécificité française consiste en ce que le débat politique s'articule en grande partie autour de son existence et des réactions à ses idées.

L'Œuvre française
Groupe nationaliste antisémite dirigé par Pierre Sidos depuis 1969. Un de ses dirigeants, Thierry Maillard, a rallié le FN en 1996.

Le FN représente une droite radicale qui utilise le système démocratique pour mieux instaurer un régime autoritaire fondé sur une vision raciale de l'identité nationale.

Une position hégémonique

Le FN est le seul vrai parti de la droite radicale. C'est pourquoi une partie de l'Œuvre française et les nationaux-bolcheviques de Nouvelle Résistance* (NR) se sont rapprochés de lui. Les néonazis du Parti nationaliste français ou du Parti nationaliste français et européen (PNFE) sont hostiles au FN dont viennent pourtant leurs fondateurs (Pierre Bousquet et Claude Cornilleau). Aux élections, seul le Parti national républicain, scission modérée du FN, cherche à le concurrencer – avec un résultat dérisoire.

Une tradition française

Le Front national s'inscrit dans une continuité idéologique qui trouve sa source dans l'opposition à la Révolution de 1789. Depuis cette date, l'extrême droite française croit à l'existence de deux France ennemies : l'une attachée à un ordre naturel immuable qui sacralise la Nation ; l'autre fondée sur les droits de l'homme et la liberté d'opinion.

« Le Front national est l'héritier d'une tradition nationale-populiste française complexe qui remonte à la seconde moitié du XIXe siècle. »
Francesco Germinario, politologue italien

La contre-révolution

Les contre-révolutionnaires*, tels Joseph de Maistre (1753-1821), Louis de Bonald (1754-1840), défendent une monarchie héréditaire et décentralisée dans laquelle l'Église catholique garantirait l'ordre moral. Pour eux, la royauté est d'essence divine et trouve sa légitimité dans le sacre de Clovis, premier roi chrétien, en 496. Cet événement a été commémoré en 1996 par le FN comme étant à l'origine de la France.
L'idéologie frontiste est marquée par la pensée de l'écrivain et homme politique Charles Maurras (1868-1952) et le nationalisme* de l'Action française* qui préconise un pouvoir monarchique fort, dégagé des partis et du Parlement et favorisant les corps intermédiaires (famille, village, province, corps de métier...).

Ligues et fascismes français

Le FN est l'héritier des ligues qui, des années 1880 à 1939, voulurent imposer une République autoritaire dirigée par un « homme providentiel », plébiscité par le peuple.
Au boulangisme, il emprunte son nationalisme agressif et le culte de l'armée. Son idée de la Nation est celle des écrivains et hommes politiques Maurice Barrès (1862-1923) et Paul Déroulède (1846-1914), connus pour leur patriotisme xénophobe.
L'opposition du FN tant au socialisme qu'à la démocratie libérale, sa volonté de séduire l'électorat ouvrier et d'agir dans les syndicats le placent dans la lignée des mouve-

Boulangisme
Mouvement patriotique autoritaire qui voulait amener au pouvoir le général Boulanger en 1889.

ments fascisants. Tel le Parti populaire français de Jacques Doriot (1898-1945), dont le premier secrétaire général du FN, Victor Barthélémy, était un des dirigeants.

Pierre Poujade, ici en mai 1956.

Nombre de cadres frontistes louent la Révolution nationale du maréchal Pétain (1856-1951) – c'est-à-dire le régime de Vichy – et ont envers le fascisme une attitude positive ou ambiguë. Cependant l'électorat du FN n'est pas réductible aux nostalgiques de la Collaboration*. Par contre les valeurs de la Résistance, la vérité historique sur l'occupation nazie et les camps d'extermination sont régulièrement niés par certains dirigeants du parti.

Le poujadisme

Le discours du FN contre les élites et le capitalisme financier, son populisme* xénophobe* sont dans la droite ligne du Mouvement Poujade (du nom de l'homme politique français Pierre Poujade) qui obtint, en 1956, une cinquantaine de députés, dont Jean-Marie Le Pen.

Protestation antifiscale et glorification de la petite entreprise indépendante face aux trusts sont deux traits du poujadisme qui se retrouvent dans le programme économique du FN.

L'Algérie française

Le FN est également le parti de ceux qui refusent la décolonisation et la perte de l'Algérie.

Nombre de ses cadres ont été militaires pendant la guerre d'Algérie* et le parti a une forte audience parmi les « pieds-noirs ». Son hostilité viscérale envers le gaullisme, la dénonciation des musulmans comme insusceptibles de s'assimiler proviennent de cette défaite.

Le Front national s'inscrit dans la continuité d'une extrême droite hostile aux principes qui fondent la République. Il est partisan d'un régime autoritaire et adversaire de la démocratie. Le nationalisme de repli qu'il professe n'est pas le patriotisme.

L'ère des groupuscules

De nombreux cadres du FN ont été formés par les groupuscules qui naissent pendant et après la guerre d'Algérie*. Ceux-ci constituent, jusqu'au début des années 1970, une extrême droite marginale et divisée dont une partie abandonne l'activisme pour la réflexion métapolitique (théorique).

« ***Les nationaux, qui admirent tant la discipline chez les autres, sont en pratique de véritables anarchistes. Incapables de se situer à leur place dans la lutte, ils ont le goût de l'action désordonnée.*** » **Dominique Venner, ancien dirigeant d'Europe-Action**

De Jeune Nation à Tixier-Vignancour

Vers 1960, les partisans de l'Algérie française soutiennent la lutte armée de l'OAS* (Organisation armée secrète). Cette expérience de la clandestinité et de la répression a formé, au sein de Jeune Nation ou de la Fédération des étudiants nationalistes, de nombreux élus FN. Le chef de l'OAS à Alger, Jean-Jacques Susini, est, en 1997, candidat FN à Marseille. En 1986, l'ex-dirigeant militaire de l'OAS, Pierre Sergent, devient député frontiste. Jean-Marie Le Pen, officier volontaire en Algérie, reste, lui, à l'écart de l'OAS.

Après l'échec de celle-ci, le courant Algérie française cherche à battre le général de Gaulle (1890-1970) aux élections de 1965. Il présente contre lui Jean-Louis Tixier Vignancour (1907-1989), ancien ministre de Pétain, qui réunit 5,27 % des voix.

Cette campagne fut un moment essentiel pour la formation militante du FN.

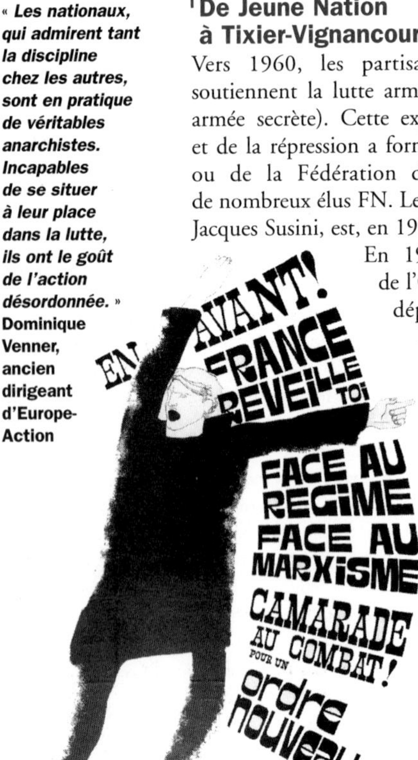

Affiche d'Ordre nouveau.

Activisme ou idéologie ?

L'échec de l'OAS divise les nationalistes. Le mouvement Occident, puis Ordre nouveau se battent dans la rue contre communistes et gauchistes.
Au début des années 1970, une fois De Gaulle parti, certains militants de ces groupuscules extrémistes se rallient à la droite libérale (tels Alain Madelin et Gérard Longuet, futurs ministres PR). D'autres intègrent le FN.
Les anciens du groupe Europe-Action se concentrent sur une autre voie : l'action métapolitique au sein du GRECE (Groupement de recherches et d'études pour la civilisation européenne). Il élabore les thèses antiégalitaristes qui seront reprises par le FN, ainsi que le néopaganisme (*voir* paganisme*) et le nationalisme* européen professés par le courant Terre et Peuple de Pierre Vial ou par une majorité du Front national de la jeunesse (FNJ).

Ordre nouveau
Mouvement néofasciste activiste de tendance nationaliste-révolutionnaire, créé en 1969, dissous en 1973. Il remporte 2,62 % des voix aux municipales de Paris en 1971.

Europe-Action
Actif entre 1963 et 1967, ce groupe se réclamait de l'anti-judéo-christianisme et du racisme biologique. Nombre de ses militants ont ensuite formé la « nouvelle droite ».

L'apport des solidaristes

Un autre courant naît au milieu des années 1960 : le solidarisme*. Au sein du Mouvement jeune révolution (MJR), il rassemble des jeunes de l'OAS qui veulent élaborer une troisième voie entre capitalisme et socialisme, refusant autant l'influence américaine que le communisme. Menés par Pierre Sergent, les solidaristes forment de futurs dirigeants frontistes dont Bernard Antony, Christian Baeckroot et Jean-Pierre Stirbois. Certains d'entre eux se rallient au catholicisme traditionnel (*voir* pp. 36-37).

La création

Le FN est, à sa fondation – le 5 octobre 1972 – un simple paravent d'Ordre nouveau, désireux de rassembler la droite nationaliste, comme l'a fait avec succès la même année le Mouvement social italien (MSI).
Jean-Marie Le Pen n'est appelé à sa tête que pour servir de caution. La dissolution d'Ordre nouveau en 1973 lui permet de prendre le contrôle du parti. Les nationalistes-révolutionnaires* d'Ordre nouveau, dans leur majorité, fondent alors le Parti des forces nouvelles qui, jusqu'en 1980, aura une audience supérieure à celle du FN. Aux législatives de mars 1973, le FN obtient 1,32 % des voix.

Le FN s'inscrit dans la continuité historique des groupuscules qui ont existé depuis la guerre d'Algérie. Fondé en 1972 pour les rassembler, il n'a au début qu'une audience marginale.

Un parti se construit

Le FN est le seul parti d'extrême droite depuis 1945 à s'être doté de structures militantes fortes et à s'inscrire dans la durée. Pendant sa première décennie d'existence, il reste toutefois confiné en marge de la vie politique.

Militant

Ce bulletin du FN est publié comme journal interne du parti entre 1974 et 1975. Il fut fondé par le trésorier du FN, Pierre Bousquet, et par Jean Castrillo, membre du comité central, tous deux anciens engagés volontaires dans la Waffen SS.

Un parti hétérogène

Jusqu'en 1978, le FN est un parti fourre-tout qui manque de militants et accepte ceux des groupes néonazis les plus extrêmes.
Son idéologue d'alors, François Duprat, est un des premiers négationnistes (*voir* pp. 40-41) français.
Le journal *Militant*, qui sert de bulletin interne, est dirigé par d'anciens collaborateurs.
Dans son programme de 1972, le FN se déclare « *la droite sociale, populaire, nationale* ».
Il prône un État réduit au minimum, la « *diffusion de la propriété par le mutualisme* », défend le petit commerce contre les trusts.
Il veut un régime présidentiel et le scrutin proportionnel*, attaque le gaullisme qu'il considère comme un allié du communisme.

Construction d'un appareil

Entre 1972 et 1974 sont mis en place les rouages du parti actuel : création en novembre 1972 du journal *Le National*, du Front national de la jeunesse (FNJ) en 1974 ; en février 1975, création de cinq commissions permanentes thématiques.
Des fédérations provinciales dirigées par des « inspecteurs régionaux » (titre emprunté au PPF de Doriot), des fédérations départementales coiffant les sections locales s'installent.
Le parti est dirigé par un bureau politique et un comité central (termes empruntés au vocabulaire communiste) élus lors du congrès du parti.
Aux élections municipales de 1977 (sous la présidence

de Valéry Giscard d'Estaing) sont conclus les premiers accords FN-droite : des frontistes sont candidats sur des listes d'union dans le Midi et le Sud-Ouest.

Le tournant national-populiste

Lors des législatives de 1978, le FN remporte 1,6 % des voix.
Pour la première fois, le slogan : « Un million de chômeurs, c'est un million d'immigrés de trop » est utilisé.
Son programme, *Droite et démocratie économique*, préconise la baisse de la fiscalité sur les PME (petites et moyennes entreprises), la limitation de la protection sociale, la fin de l'impôt sur le revenu.
Après la défaite électorale et l'assassinat, en mars 1978, de Duprat, leader des nationalistes-révolutionnaires*, Jean-Pierre Stirbois réorganise le parti.
Il exclut les néonazis, impulse un programme économiquement moins libéral et plus antiaméricain, centré sur l'identité nationale et l'immigration. En 1978, Stirbois s'implante à Dreux : son travail de fond paiera.

> Le Pen ne fonde pas un nouveau groupuscule : il prend le temps de construire un parti structuré et rompt avec la violence activiste. En 1978, il est le premier à lancer le thème de l'immigration dans le débat politique. La victoire de la gauche en 1981 crée les conditions de son émergence.

1981 : un maigre bilan

En dix ans d'activité, le bilan est mince.
En 1979, le FN ne peut se présenter aux élections européennes. Faute des parrainages suffisants, Jean-Marie Le Pen n'est pas candidat aux présidentielles de 1981.
Aux législatives suivantes, la déroute est totale : le FN ne comptabilise que 0,18 % des voix.
Pourtant deux événements lui ouvrent la voie. Tout d'abord le PFN (Parti des forces nouvelles) éclate, le FN reste donc seul à l'extrême droite.
Ensuite la victoire de la coalition socialo-communiste radicalise nombre d'électeurs de droite, qui seront tentés par son opposition résolue tant au socialisme qu'au libéralisme.

La consolidation

Après l'élection de François Mitterrand, la droite se recompose. La peur du socialisme radicalise l'opposition et les déçus de la droite commençent à basculer vers le FN.

Succès électoraux

L'émergence du FN remonte à l'élection de Jean-Pierre Stirbois au conseil municipal de Dreux en 1983 où la droite accepte un accord avec lui.
La percée vient aux européennes de 1984 (obtention de 11,2 % des voix) et aux législatives de 1986 grâce au scrutin proportionnel*. Le vote FN est alors une protestation de l'électorat urbain et modeste face aux bouleversements économiques et sociaux, à l'étatisme et aux impôts.
À la présidentielle de 1988, Jean-Marie Le Pen recueille 14,4 % des voix. Comme aux législatives suivantes, le FN capte des électeurs de droite, déçus par l'européisme et le libéralisme de l'UDF et du RPR. Les accords conclus avec la droite dans le Midi lui confèrent une certaine respectabilité.

Les « affaires »

Cette respectabilité a été écornée par les « petites phrases » de Jean-Marie Le Pen. En 1987, il déclare que les chambres à gaz sont un « point de détail » de la Seconde Guerre mondiale. En 1988, il appelle un ministre « Durafour-crématoire ». En 1996, il dit croire en l'inégalité des races.
Ce ne sont pas là des lapsus mais une tactique pour tester l'acceptabilité de certaines idées. Or, malgré l'indignation qu'elles provoquent, le FN progresse.
De même, malgré le meurtre, le 1er mai 1995 à Paris, d'un jeune Marocain, près d'un cortège FN, sa cote reste stable. Même diabolisé (à tort dans le cas de la profanation* du cimetière juif de Carpentras), le Front national reste attractif car il est facteur de contestation dans un débat politique de plus en plus consensuel.

« Les succès électoraux du FN ont mis en évidence la crise des vieilles organisations et cultures politiques de droite et de gauche. »
Pascal Perrineau, politologue

Jean-Pierre Stirbois.

L'échec des scissions

La solidité interne du FN est à toute épreuve même si certains de ses députés venus de la droite (François Bachelot, Olivier d'Ormesson) l'ont quitté, à la suite de la déclaration du « point de détail ». D'autres, comme Pierre Sergent et Jules Monnerot, ont critiqué son attitude pro-irakienne pendant la guerre du Golfe*.

Mais ces divergences sont restées individuelles. Aucune scission n'a réussi électoralement. Le Parti nationaliste français (PNF), qui existe depuis 1982, n'a plus qu'une centaine de membres. Si le FN n'éclate pas c'est parce que chacune de ses composantes pratique la politique du « compromis nationaliste » et accepte de cohabiter avec d'autres courants professant une idéologie parfois opposée mais transcendée par une aversion commune pour le système.

Vers le pouvoir ?

Dans les années 1990, comprenant que les Français perdent confiance dans leurs élites, le FN accentue ses attaques contre la « *bande des quatre* » (UDF, RPR, PS, PC) et la corruption (exemple : le slogan « mains propres, tête haute »).

Il réussit à se placer au centre du débat politique : les autres partis, droite et gauche confondues, s'opposent à lui sur les principes mais ne combattent pas ses idées par une argumentation claire et précise.

Depuis l'automne 1995, son slogan « ni droite ni gauche » vise à séduire un électorat populaire, dérouté par les conséquences de la mondialisation ultralibérale.

L'élection municipale de Dreux en 1983 est le premier succès du FN. Entré au Parlement européen en 1984, il envoie trente-cinq députés à l'Assemblée nationale en 1986. Avec 15,5 % des voix, il dépasse aujourd'hui l'UDF (14 %) et talonne le RPR (16 %).

Organisation et structures

Le FN est fortement personnalisé par son président. Très hiérarchisé, il ne connaît pas de démocratie interne. Il développe son action vers les catégories socioprofessionnelles à travers des « associations-satellites ».

Une direction hyperpersonnalisée

Jean-Marie Le Pen, président du FN, contrôle entièrement la vie et l'expression publique du parti. Le FN doit d'ailleurs son succès à l'image de son chef, ainsi qu'à ses qualités médiatiques. Le bureau politique du FN (quarante membres) évoque les grandes orientations du mouvement mais ne décide rien. Les membres de ce bureau sont issus du comité central, élu, lui, tous les quatre ou cinq ans par un congrès (dernier en date, celui de Strasbourg en mars 1997). Un conseil national, purement formel, réunit les membres du comité central et des personnalités nommées par le président.

Le FN nomme un secrétaire dans chacune des régions administratives et dans chaque département. À la base existent des sections locales. La part principale des cotisations remonte au siège national : sur 150 F de cotisation au FNJ par exemple, 70 F lui reviennent.

Un appareil divisé

L'appareil politique du FN comprend deux structures rivales : le secrétariat général, détenu par Bruno Gollnisch depuis octobre 1995, et la délégation générale, confiée à Bruno Mégret, le numéro deux du parti. Le premier supervise les fédérations et les cercles amis. Le second oriente les actions du parti et, à travers le Groupe d'action parlementaire, ses choix idéologiques. Le clan Mégret est sorti renforcé du dernier congrès et contrôle, en particulier, l'implantation dans les syndicats. En réaction et comme contrepoids, Jean-Marie Le Pen a annoncé, en septembre 1997, la nomination d'un « contre-gouvernement » au sein du FN, dont la composition est confiée au député européen Jean-Claude Martinez.

Les locaux du FN
Jean-Marie Le Pen a son cabinet personnel, dirigé par Bruno Racouchot, conseiller régional d'Île-de-France. Le siège du FN est à Saint-Cloud (Hauts-de-Seine).

Les structures catégorielles

Elles sont un relais vers une profession ou un milieu particulier. Les cercles, dirigés par des fidèles de Jean-Marie Le Pen, ont un impact restreint. Ainsi le Cercle national des combattants fondé par Roger Holeindre, le Cercle national des femmes d'Europe dirigé par Martine Lehideux, ou Fraternité française, association caritative qui aide les Français nécessiteux à se nourrir et à trouver un emploi. L'Institut de formation nationale forme les cadres du parti. Le Département protection sécurité (DPS), tout dévoué au président, est à la fois service d'ordre et de renseignement.
Entreprise moderne et liberté, dirigée par Jean-Michel Dubois, s'adresse aux petits patrons. Son objectif est d'avoir des élus dans les chambres de commerce et aux conseils de prud'hommes.

Sociologie des cadres FN

L'action catégorielle du FN est bridée par l'origine sociale de ses cadres, pour la plupart cadres supérieurs, professions libérales ou retraités.
Aux législatives de 1997, 20,6 % seulement des candidats FN étaient des salariés alors que 23,45 % étaient chefs d'entreprise ou professions libérales. De même, 51,8 % avaient plus de 50 ans. Les femmes sont sous-représentées et forment seulement 12 % des candidats.
De même, 36,2 % des secrétaires départementaux sont cadres supérieurs ou professions libérales. Parmi ces secrétaires départementaux, on ne compte qu'un ouvrier, cinq employés et deux agriculteurs. Fait nouveau, onze de ces cadres sont enseignants ou éducateurs.

L'omniprésence et la toute-puissance de Jean-Marie Le Pen sont à la fois la force et la faiblesse du FN. Toutefois le FN a gardé jusqu'ici sa cohésion : aucune des scissions intervenues depuis sa fondation n'a connu de succès.

L'État et la démocratie

Souvent décrit comme un parti néofasciste, le FN agit pourtant dans le cadre de la démocratie, même s'il l'instrumentalise autant qu'il la soutient. Son idéal reste un gouvernement autoritaire et repose sur le culte du leader.

L'origine de la France

Le FN a célébré en 1996 le 1 500e anniversaire du baptême (en 496) de Clovis (466-511). S'il fait remonter l'identité nationale aux Gaulois, il croit que ce baptême est l'acte fondateur de la France. Il insiste donc sur la culture chrétienne du pays et reprend l'idée de l'Action française* selon laquelle « *quarante rois ont fait la France* ». Il sait gré à l'Ancien Régime d'avoir bâti l'État-Nation. Les héros historiques du Front national sont Jeanne d'Arc, Louis XIV et Napoléon Ier.
Les valeurs de la République tiennent donc dans l'imaginaire frontiste une place mineure.

L'État et les institutions

Le FN admet la République même si certains de ses élus refusent les valeurs de la Révolution de 1789. Jean-Marie Le Pen a d'ailleurs déclaré que la démocratie est « *le moins mauvais des régimes* ». Il réclame toutefois une « *seconde révolution française* » qui redonnerait le pouvoir au peuple – qu'il estime trompé par les élites.

Défilé du Front national, 1er mai 1996.

Il se réapproprie le gaullisme, demandant une « *VIe République* », un régime présidentiel qui mette fin au « *règne des partis* ». Paradoxalement il exige que toutes les élections aient lieu à la proportionnelle*. Pour lui, l'État doit réduire son action à ses missions de souveraineté (police, justice, défense, affaires étrangères), donc moins intervenir dans l'économie et le social. La majorité du FN est pour un État centralisé, mais certains, régionalistes, veulent revenir aux anciennes provinces.

« Nous, les hommes politiques de droite, ne concevons pas notre charge comme de faire le bonheur des hommes. »
Jean-Marie Le Pen

La démocratie directe

Le FN veut donner directement la parole au peuple en remplaçant la démocratie représentative par la démocratie directe, ce qui équivaudrait à désaisir le Parlement. Il est pour le référendum d'initiative populaire : un million de citoyens pourraient demander par pétition que le peuple vote sur un sujet de société. Il veut créer un référendum-veto qui permettrait au peuple de s'opposer aux lois votées par le Parlement.

En proposant cela, le FN prétend s'inspirer du modèle de la Suisse. Il s'inscrit en fait dans le filon populiste* et vise à établir une communication directe entre un chef tout-puissant et le peuple.

Les réformes

S'il vient au pouvoir, le FN veut inscrire la préférence nationale dans la Constitution – ce qui est contraire à la Déclaration des droits de l'homme. Il souhaite limiter le rôle du Conseil constitutionnel, accusé de « censure idéologique », et abroger les articles de la Constitution qui se réfèrent à des traités européens. Surtout, il a promis d'abroger les lois Pleven (1972) et Gayssot (1990) qui répriment pénalement les propos racistes* et négationnistes (*voir* pp. 40-41).

Les deux piliers de l'idéologie frontiste sont cependant la dénonciation des politiciens « corrompus » (19 % des Français sont d'accord avec cela) et la « *lutte contre les lobbies et les féodalités syndicales* ». En fait, le terme de *lobbies*, qui signifie « groupes de pression », désigne tous les adversaires du FN, qui, arrivé au pouvoir, veut leur faire « *rendre gorge* ».

Le FN n'admet ni le pluralisme politique, ni les principes républicains d'égalité et de séparation des pouvoirs. Il tient la Déclaration des droits de l'homme et du citoyen pour inutile et dangereuse pour la cohésion et l'identité nationales.

L'économie

Depuis la parution, en 1993, des *300 mesures pour la renaissance de la France*, le FN a abandonné l'ultralibéralisme. Ce n'est pas le capitalisme qu'il critique mais, comme naguère l'homme politique belge Henri de Man, l'hypercapitalisme des trusts, ce qui limite la portée de son engagement affiché aux côtés des classes populaires (le « tournant social » de 1995).

L'antifiscalisme

Le FN incarne la vieille tradition française de protestation fiscale. Il propose de baisser l'impôt sur les sociétés et, pour satisfaire les PME (petites et moyennes entreprises), de supprimer la taxe professionnelle.

Il veut également supprimer l'impôt sur le revenu. Cet impôt est considéré comme injuste par le FN. Or cette suppression ne profiterait qu'aux ménages imposés (50 % du total) et serait inutile pour les plus pauvres (non imposés). Enfin il veut réduire le taux d'imposition des plus riches.

De même, le FN souhaite augmenter les taux de TVA, mesure défavorable aux consommateurs qui la supportent. Enfin, il promet une baisse des charges sociales payées par les employeurs. Sera-t-elle répercutée sur les fiches de paye ?

L'emploi

Persuadé que l'immigration est la cause du chômage, le FN veut instaurer la préférence nationale à l'embauche et licencier en priorité les étrangers.

Il compte dissuader les entreprises d'embaucher des étrangers en créant un impôt sur l'emploi des immigrés, impôt variable selon le pays d'origine. Il désire modifier le Code du travail qui interdit de telles mesures.

Parce qu'il a progressé chez les ouvriers, le FN promet aujourd'hui de relever le SMIC à 7 000 F, mais veut poursuivre les privatisations.

L'équation immigration = chômage est inepte : l'Espagne a le taux de chômage le plus élevé de la CEE et moins de 1 % d'immigrés alors que le Luxembourg compte 35 % d'étrangers et 3 % seulement de chômeurs !

Les acquis sociaux

Le FN a abandonné l'idée d'une flexibilité totale de la main-d'œuvre (liberté totale pour les entreprises de licencier).

Il est favorable au maintien du temps de travail à 39 heures et des cinq semaines de congés payés, et veut améliorer le statut des fonctionnaires.

Naguère partisan de privatiser la Sécurité sociale, il veut désormais qu'elle reste publique et qu'elle ait des caisses séparées pour les Français et les étrangers – mesure qui serait étendue aux caisses de retraite.

Le Front national veut aussi revaloriser les allocations familiales pour les nationaux et les supprimer – ainsi que le RMI – pour les étrangers.

Il préconise également la création d'un salaire maternel pour inciter les femmes à rester au foyer.

Pour crédibiliser ce prétendu « tournant social », le FN organise son défilé annuel le 1er Mai, jour de la fête du Travail.

S'implanter dans le commerce et l'industrie

En novembre 1997, le FN a présenté, sous le label Entreprise moderne et liberté, des candidats aux élections dans les chambres de commerce et d'industrie.

La propriété

Pour le FN, c'est la propriété individuelle, transmise au fil des générations, qui enracine l'individu.

Pour lui les non-possédants ont une utilité sociale moindre. Il est donc très attentif au monde paysan et veut interdire la propriété foncière et immobilière aux étrangers.

En supprimant les droits de succession en ligne directe, il favorise la transmission des PME et les gros héritages.

Le Front national veut aussi permettre aux Français de devenir propriétaires de leur logement, grâce à un prêt d'État.

Le FN veut garder sous le contrôle de l'État les transports, les communications, l'énergie et l'armement. Sa volonté de privatiser le reste ne peut que faire augmenter le chômage et la précarité.

Le monde du travail

Ses succès dans le monde ouvrier ont incité le FN à s'implanter dans les entreprises. La vigoureuse réaction des syndicats permet pour l'instant d'enrayer cette offensive.

Le tournant social

Après les présidentielles de 1995, remportées par Jacques Chirac, le FN investit le terrain social. Persuadé que « *le syndicalisme officiel n'est plus légitime* », il hésite entre deux tactiques : infiltrer les syndicats existants ou en créer d'autres.
Le Front national est actif sur le terrain caritatif à travers l'association Fraternité française, qui aide les exclus, les soupes populaires du pasteur Blanchard pour les SDF ou via l'association Front antichômage.
Dépourvu de culture syndicale, le FN reste absent des grèves de l'automne 1995.
Il cherche à fixer ses électeurs venus de la gauche et les déçus de la droite qui refusent l'ultralibéralisme. Favorable aux PME (petites et moyennes entreprises), il se déclare « *très critique à l'égard du grand patronat qui joue le jeu du mondialisme* ».

« Le mondialisme est aujourd'hui la cause majeure de régression sociale. Or le FN est le seul à le combattre. Il est à ce titre le principal mouvement social. »
Bruno Mégret

L'infiltration

Le FN a créé le Centre national des travailleurs syndiqués (CNTS), regroupant ses militants qui adhèrent aux grands syndicats existants. En 1995, un sondage indiquait que 7 % des sympathisants de la CGT, 6 % de ceux de la CFTC, 5 % de ceux de la CFDT avaient voté Le Pen aux élections présidentielles. Selon ce sondage c'est à Force ouvrière (16 %) et chez les cadres de la CGC (24 %) qu'il réalise ses meilleurs scores.

Cette infiltration est particulièrement avancée dans le Var. Bernard Ferré, le président du CNTS, était en octobre 1997, conseiller prud'homal à Aix-en-Provence.
Le FN va sur le terrain : Mégret, par exemple, est venu distribuer des tracts à l'usine Moulinex de Mamers (Sarthe), menacée de fermeture.
Tous les syndicats excluent toutefois les infiltrés FN. En mars 1996, la plupart ont cosigné avec Ras l'Front un appel intitulé *Tous ensemble contre le fascisme et le racisme**.

Les pseudo-syndicats

L'implantation du FN dans le monde syndical reste un échec grâce à la mobilisation des autres centrales. Il a toutefois créé une section dans les transports lyonnais (TCL) et Force nationale-transport en commun (FN-TC) à la RATP. Sa Fédération nationale des fonctionnaires préconise à la fois une réduction du nombre des agents de l'État et une revalorisation de leur statut.
Le FN a également organisé des cercles parmi les professions juridiques (Cercle Droit et Liberté), les médecins (Cercle national des corps de santé) ou la banque (Cercle national banque). La Fédération nationale entreprise moderne et liberté s'adresse aux professions libérales, commerçants et artisans. Elle veut obtenir des élus dans les organismes paritaires, les chambres des métiers, les prud'hommes, les tribunaux de commerce et à l'URSSAF.

Un programme rétrograde

Le FN demeure étranger aux luttes sociales. Il conçoit l'entreprise comme une communauté d'intérêts entre patrons et salariés et développe une conception corporatiste de la société. Il s'attaque aux travailleurs étrangers et aux clandestins mais pas aux donneurs d'ordres. Il prétend défendre les salariés mais se prononce pour la retraite par capitalisation, alors que seule la répartition assure les droits de tous.
Son programme est un capitalisme populaire qui ne s'attaque en rien aux inégalités.

Malgré son discours antilibéral, le FN est un parti populiste* qui veut une économie autarcique (en circuit fermé) où la petite entreprise et le petit commerce prédomineraient.

L'Europe

Alors que la France s'engage dans une Europe intégrée, où disparaîtra la souveraineté monétaire, le FN se déclare hostile aux politiques européennes communes et à la monnaie unique. Il espère ainsi, lorsque se feront sentir les conséquences économiques de l'euro, récupérer les voix des mécontents.

« La France, ce n'est pas une rubrique comptable sur un ordinateur de l'OCDE ou du GATT, ou un gros dossier dans un bureau de Bruxelles ou de Strasbourg. La France, c'est une réalité charnelle. »
Jean-Marie Le Pen

La France d'abord

Nationaliste, le FN considère que « *la Nation est l'un des seuls cadres avec la famille susceptible de garantir l'existence et d'assurer l'épanouissement des Français* ». Il refuse donc la dissolution de la France dans une Europe supranationale dans laquelle elle perdrait sa souveraineté. S'il accepte l'Europe des nations créée par le traité de Rome, il refuse l'Europe fédérale qui est l'objectif du traité de Maastricht. Cette position, en elle-même estimable, est rendue dangereuse par la définition que donne le FN de la Nation, c'est-à-dire fondée sur la race et l'hérédité.

Contre Maastricht

Le FN admet l'Union européenne mais refuse le traité de Maastricht, la monnaie unique et l'idée d'une Banque centrale européenne. Il dénonce le passage à l'euro comme une mainmise du mark et de l'Allemagne sur notre économie : pour lui l'unification monétaire entraînera les délocalisations industrielles et le chômage.

Il s'oppose au libre-échange qui permettra aux produits non européens d'entrer librement dans la CEE, et veut mettre en place un « *nouveau protectionnisme* » qui taxera les importations des pays à bas salaires (pays où n'existent ni salaire minimal, ni protection sociale).

Le Parlement européen.

Parce que hostile à l'immigration, il est également opposé aux accords de Schengen, qui autorisent tous les résidents des pays de la CEE qui les ont ratifiés à circuler librement sur leur territoire. Enfin, il est contre une armée européenne intégrée et s'est prononcé contre les interventions européennes de maintien de la paix, notamment en Bosnie.

Malthusianisme
Doctrine qui prône la limitation des naissances dans le but d'améliorer les conditions de vie en société.

L'identité européenne

Le FN ne restreint pas l'Europe aux quinze pays de la CEE (qui pour lui n'est qu'une construction technocratique). Son Europe est fondée sur une identité historique et culturelle, constituée, selon Bruno Mégret, par « *les mêmes origines ethniques, la même religion chrétienne, la même histoire, les mêmes coutumes, les mêmes mœurs* ». L'Europe est également, pour l'extrême droite, une « *volonté de puissance, d'expansion d'une civilisation supérieure* ». Cette Europe comprend les pays de l'Est – Russie comprise – mais pas la Turquie.
Pour les cadres du FN issus de la nouvelle droite, l'Europe doit être fondée sur une mythologie païenne commune et sur un substrat ethnique de type indo-européen. Pour le courant catholique du FN, elle doit se confondre avec l'Occident chrétien.

Contre les « internationales »

Le FN croit en l'existence d'un « complot » contre la Nation – ourdi par des groupes supranationaux – à caractère économique (Commission trilatérale, *Bilderberg Group*), idéologique (internationalisme communiste ou socialiste) ou philosophique (franc-maçonnerie). Il soupçonne ces groupes d'œuvrer à la disparition des frontières, à la modification des populations par l'arrivée de l'immigration et par l'incitation au malthusianisme (*voir* encadré) démographique. En filigrane, c'est toutefois la supposée « internationale juive » qui est présentée comme contrôlant l'ensemble. Une organisation juive paramaçonnique, le *Bnai Brith* (Fils de l'Alliance) est régulièrement dénoncée par le FN comme dirigeant en fait la vie politique française.

Le FN tire parti du ralliement, quasi unanime, des partis démocratiques à l'intégration européenne pour se présenter en unique défenseur de l'indépendance nationale. Il faut donc ouvrir un vrai débat sur les conséquences du passage à la monnaie unique.

Éducation et culture

Pour conquérir le pouvoir, le FN doit convaincre les esprits. Pour la première fois depuis l'Action française*, le nationalisme* élabore donc sa propre culture.

Conquérir l'école

En 1995, 0,3 % des professeurs, 1,3 % des instituteurs et 4 % des étudiants ont voté Le Pen. Depuis octobre 1995, le FN tente d'infiltrer l'école à travers le Mouvement pour un enseignement national (MEN). Sa charte pour l'École prévoit de revoir les programmes scolaires afin d'éliminer le « cosmopolitisme officiel », de ne plus rendre l'école obligatoire jusqu'à seize ans, d'instaurer la sélection pour que tous les élèves n'arrivent pas au bac. Cette charte propose également d'imposer un quota d'étrangers par classe et de développer l'enseignement privé.
Dans les villes gérées par le FN, les repas prévus sans porc dans les cantines scolaires ont été supprimés.

Promouvoir la famille

Le FN est nataliste : il attribue le déclin du pays à la baisse de la natalité qui aurait entraîné le remplacement de la population « de souche » par l'immigration. Il est donc opposé à l'avortement et désire supprimer la loi Veil (1975) qui l'a légalisé. Partisan de la création d'un ministère de la Famille, il veut instaurer un revenu parental égal au SMIC ainsi qu'une retraite spéciale pour les mères au foyer.
Antiféministe, il propose un statut juridique particulier pour la mère et veut imposer le « vote familial » : plus un électeur a d'enfants, plus il a de voix.
Il veut enfin réserver l'adoption aux enfants français.

« *Les instituteurs de Jules Ferry participèrent d'une formidable déculturation ouvrant toute grande la porte à la sous-culture mondiale.* » *Pour une instruction nationale*, 1991 (publication FN)

Mettre au pas la culture

Le FN veut promouvoir la culture « enracinée » et supprimer la culture « cosmopolite ». Cela suppose une définition précise de nos racines culturelles.

Ci-contre : **Restitution des locaux du centre culturel « le Sous-Marin », muré par la mairie Front national (Vitrolles, 1997).**

Pour Jacques Bompard, le maire d'Orange, « *nous sommes les fils de la grande civilisation européenne qui, des fjords de Norvège aux calanques desséchées de Sicile, brille de mille feux depuis plusieurs millénaires* ». Toute culture imprégnée d'autres valeurs n'a pas droit de cité.

Partisan de l'art « populaire », le FN pénalise la création : il s'est un temps retiré des Chorégies d'Orange, a attaqué le Théâtre de la Danse de Chateauvallon, fermé une salle de spectacles à Vitrolles.

Il veut limiter la liberté des médias, en instaurant à la télévision un temps de parole « proportionnel aux influences ». En septembre 1997, plusieurs agressions physiques ont eu lieu contre des journalistes à la fête FN des Bleu Blanc Rouge.

Censurer la pensée

Dans les bibliothèques des municipalités FN (Toulon, Marignane, Orange, Vitrolles), les abonnements à de grands hebdomadaires ont été résiliés et remplacés par des abonnements à la presse frontiste.

La ville de Marignane a été condamnée par le tribunal administratif de Marseille pour de telles pratiques. À Orange, les commandes de livres favorisent les auteurs d'extrême droite, dont l'antisémite* Robert Brasillach* (1909-1945) et le philosophe Julius Evola (1898-1974), inspirateur des lois raciales italiennes de 1938. Toujours à Orange s'est produit en public un groupe skinhead, Fraction Hexagone, dont une chanson réclame « une balle pour les cosmopolites », alors qu'à Toulon le groupe de rap NTM était interdit de concert.

En s'attaquant à l'école et à la culture, le FN remet en cause deux fondements de la République qui assurent l'égalité des chances et la promotion sociale.

Immigration et citoyenneté

Le FN ne prône pas officiellement la hiérarchie des races mais le différentialisme, c'est-à-dire la nécessité pour chaque peuple de vivre entièrement séparé des autres, au nom d'une prétendue incommunicabilité absolue des cultures.

« L'intégration prônée depuis la fin de la guerre d'Algérie* devient un mythe lorsque les peuples connaissent trop de différences entre eux. »
***Debout !*, journal du FNJ, Bas-Rhin**

Le mythe du peuple pur

Pour le FN, « *la population de notre pays est restée homogène depuis ses origines* ». Dans ses *50 propositions sur l'immigration*, il lie l'identité française au sang, considère que seuls « *les étrangers d'origine européenne, généralement catholiques* » sont assimilables et refuse d'intégrer les autres cultures. Les électeurs FN rejettent en priorité les étrangers d'origine maghrébine et africaine.
Cependant le Juif reste l'ennemi prioritaire : un « *ennemi intérieur* » qui aurait pour objectif de dissoudre la Nation. Et un ennemi supposé d'autant plus dangereux qu'il est difficile à repérer.

Un fantasme : la submersion

Le FN veut « *le renvoi définitif mais progressif des étrangers* ». Il en estime le nombre à six millions, feignant d'ignorer que nombre d'enfants d'immigrés sont français. Il prétend que la France est submergée par l'immigration du tiers-monde et que l'existence du peuple français est menacée, alors que la France a toujours été un pays

d'immigration où l'intégration a réussi. Préconisant « *une discrimination naturelle et légitime entre nationaux et étrangers* », le FN demande l'arrêt définitif des entrées nouvelles, y compris pour les réfugiés ainsi que la révision de toutes les naturalisations* accordées depuis 1962. Il veut interdire la double nationalité*.

Vote FN et immigration

Existe-t-il une corrélation entre le niveau du vote FN et la présence des étrangers ? Au niveau régional, oui. À celui des cantons et des communes, non. Le vote FN, en effet, est déterminé par les malaises urbains. Or les immigrés vivent plutôt dans les grandes agglomérations : toutefois ce n'est pas leur présence qui explique le vote mais le chômage et le sentiment d'insécurité. Les petites villes où le vote FN est fort sont celles qui jouxtent les zones à forte immigration : c'est la peur de l'autre et non sa présence qui produit la xénophobie*.
Dans les banlieues, le vote FN provient du fait que la mobilité sociale et résidentielle des classes moyennes et des ouvriers se réduit. Face aux ratés de l'intégration et de l'ascension sociale, le FN propose la logique du bouc émissaire.

Dans le Midi

Le long du littoral méditerranéen, ce n'est pas l'immigration qui explique le vote FN mais les migrations.
Les pôles de haute technologie ont attiré une main-d'œuvre qualifiée venue du nord de la France, et comme l'explique le sociologue Jean Viard, dans le triangle Montpellier-Orange-Nice, les non-Provençaux sont majoritaires parmi les actifs et minoritaires parmi les chômeurs.
La population, qui a doublé en trente ans grâce à cet apport, se sent à la fois marginalisée par un développement industriel axé maintenant au nord-est de la France et menacée par les pays du Sud. Au référendum de 1992 sur le traité de Maastricht, le « non » l'a emporté en région Paca (Provence-Alpes-Côte d'Azur) avec 55 %.

Expulser les étrangers
Matériellement impossible à organiser, le renvoi des étrangers mettrait la France au ban des Nations sans profiter à l'économie. De plus, rien n'indique que les Français voudront prendre les emplois enlevés aux immigrés.

Le FN propose l'expulsion de tous les étrangers et désigne comme ses ennemis tous ceux qui affichent une différence : Arabes et Juifs, Noirs... C'est la peur de l'autre qui motive essentiellement le vote frontiste.

Sécurité, police, armée

Le FN a une vision répressive de la société et tire profit d'une demande légitime d'autorité, née de la perte des valeurs civiques. Il s'implante dans la police nationale et l'armée.

L'idéologie sécuritaire

Le droit à la sûreté est une valeur républicaine. Le FN, lui, mise sur l'insécurité réelle ou fantasmée pour attiser la peur de l'étranger. Pour lui, l'insécurité est la conséquence de la décadence et du laxisme de l'État. Il veut donc renforcer les peines prévues au Code pénal et rétablir la peine de mort qui serait « *l'assurance de la liberté pour tous les citoyens* ».

Il attribue la délinquance à la présence des étrangers et demande en conséquence la suppression des aides aux banlieues en difficulté où vivent de nombreux immigrés.

La police

Un policier sur sept a voté pour l'extrême droite aux élections professionnelles de 1995.

Le Front national police a obtenu 7,45 % des voix. Le FN possède des sympathisants à la Fédération professionnelle indépendante de la police (FPIP) qui recueille 5,79 % des voix. Ce syndicat demande, notamment, l'autorisation pour un policier de pouvoir tirer avec son arme après sommation.

Dans ses municipalités (Toulon, Orange, Marignane, Vitrolles), le FN s'est doté de polices municipales. Celle de Vitrolles a participé en octobre 1997 à la fermeture illégale du centre culturel « le Sous-Marin ».

La justice

Le FN veut « *bannir la politisation de la magistrature* », donc y limiter le droit syndical. Il demande le rétablissement des peines incompressibles qui réduisent les possibilités de réinsertion. Il prône l'expulsion automatique des délinquants étrangers et la suppression des aides sociales aux récidivistes.

Il réclame la peine de mort pour les assassins d'enfants, les terroristes et les grands trafiquants de drogue.

Le FN réclame la construction de prisons supplémentaires mais, partisan de la répression plutôt que de la prévention, il ne réduirait en rien la surpopulation carcérale.

Il s'est implanté parmi les gardiens de prison, à travers le Front national pénitentiaire, fondé en 1996 par Damien Francès et très présent dans le Midi comme à Paris (prisons de Fresnes et de la Santé). Le FNP demande la fin des activités socio-éducatives en prison ainsi que la limitation des visites aux détenus. Il demande que les surveillants soient formés au tir et il accepte, en partie, la privatisation des prisons.

> « ***Les banlieues, c'est souvent l'enfer quotidien, les bandes de voyous, la drogue, la violence.*** »
> **Programme FN, législatives 1997**

L'armée

Pour s'infiltrer dans l'armée et la gendarmerie, le Front national a créé en février 1995 une « antenne-défense » dirigée par Bruno Racouchot et François-Xavier Sidos (ancien mercenaire aux Comores). Les officiers de réserve sont dirigés sur le Cercle national des gens d'armes, tandis que le Cercle national des combattants de Roger Holeindre (vice-président du FN) recrute les anciens combattants et forme à une discipline militaire les adolescents.

Le FN est favorable à une armée de métier, complétée pour la défense intérieure par une garde nationale de volontaires payés. Il a fondé le Comité de soutien aux industries de défense, pour lutter contre les fermetures d'arsenaux et de sites militaires.

> Alors que 31 % des électeurs, à la présidentielle de 1995, désignaient l'insécurité comme une de leurs préoccupations, 26 % des Français approuvent les thèses du FN sur la sécurité et la justice.

La politique étrangère

Naguère essentiellement anticommuniste, le FN s'est trouvé depuis la fin de l'URSS un nouvel ennemi prioritaire : l'Amérique, symbole du capitalisme et du cosmopolitisme qu'il déteste.

L'idée de décadence

Le FN dit vouloir la grandeur et l'indépendance de la France. Il n'a jamais admis la perte de l'Empire colonial français et l'indépendance de l'Algérie (1962). Il croit en la décadence de notre pays et de l'Occident. Il attribue ce « déclin » à l'affaiblissement démographique et économique de la France, mais aussi à une idéologie (le « mondialisme ») visant à détruire les États-Nations au profit d'un gouvernement mondial dirigé par des intérêts financiers, souvent désignés par l'extrême droite comme étant ceux des Juifs.

L'ennemi principal : les États-Unis

Pendant les années 1960-1970, l'extrême droite – FN compris – était proaméricaine et, dans le cadre de la guerre du Vietnam, soutenait les États-Unis face au bloc communiste. L'extrême droite reprochait au gaullisme son neutralisme et ses liens avec les pays non alignés. Ses modèles étaient trois dictatures : l'Espagne franquiste, le Portugal salazariste, le Chili de Pinochet.
Cette orientation a cessé avec la guerre du Golfe* (1990), car le FN a soutenu l'Irak contre l'intervention américaine appuyée par la France. L'ennemi premier du FN n'est plus dès lors l'Union soviétique disparue, mais le « nouvel ordre mondial » dominé par les États-Unis. Le FN reproche à la politique étrangère française d'être dépendante des États-Unis, alors qu'elle aurait des intérêts divergents. En fait, il s'oppose à la politique américaine qu'il croit dictée par Israël et la communauté juive.
Partisan jusqu'à la fin de l'URSS de la réintégration de la France dans l'Otan, il y est maintenant hostile.

Les rapports Nord-Sud

Le Front national diabolise le monde arabo-musulman. Pour lui l'islam est intrinsèquement expansionniste et intégriste. C'est pourquoi, via l'association SOS-Enfants d'Irak, il aide le régime laïque irakien.
Toutefois c'est Israël qui symbolise pour lui le mal absolu : dans le journal *Présent*, tous les faits concernant Israël figurent dans la rubrique « territoires occupés ». Cet antisionisme* a conduit Jean-Marie Le Pen à rencontrer, en 1997, le leader islamiste turc Necmettin Erbakan.
La psychose d'une déferlante migratoire venue du sud hante le FN, qui considère alarmante la détérioration de la situation en Afrique noire et continue de juger positivement la colonisation.

« L'expansion islamique révolutionnaire pose de considérables problèmes de survie. »
Jean-Marie Le Pen

La fonction de secrétaire national
Titre qui existe dans tous les partis et qui désigne la personne chargée d'un secteur particulier dans l'état-major du parti.

Les Français de l'étranger et les Dom

Le FN s'implante parmi les expatriés. Il a fondé le Cercle des français résidants à l'étranger (CFRE), dirigé par Jacques Doré, ancien conseiller militaire de l'émir de Sharjah (pays du golfe Persique).
Aux présidentielles de 1995, Le Pen a obtenu un bon score chez les Français installés dans certains pays étrangers : 17,6 % en Andorre, 14,2 % au Zaïre et 13,3 % au Gabon ; 12,8 % en Iran, 13,7 % à Monaco et en Croatie.
Le Front national accroît son influence dans les départements et territoires d'outre-mer (Dom-Tom). Hostile à l'indépendance de la Nouvelle-Calédonie, il y fait 6,5 % et siège à son Assemblée territoriale. En Guyane, il fait 4,2 % dans l'ouest, tirant parti de l'immigration illégale venue du Surinam.
Il existe une secrétaire nationale (*voir* ci-dessus) aux Dom-Tom, Huguette Fatna.

La politique extérieure est un élément secondaire du programme frontiste. De plus en plus antiaméricain, le FN est surtout l'adversaire d'une Europe intégrée.

Le populisme

« *Les idées que je défends ? Les vôtres !* » : tel est l'un des slogans de Jean-Marie Le Pen. Bien qu'il diffère complètement du poujadisme par son électorat et son implantation géographique, le FN se sert lui aussi du ressentiment du peuple envers « les gros » et les élites.

Le peuple contre les élites

Le discours du FN traduit la défiance d'une partie des citoyens envers le comportement des élites. Sa dénonciation des « gros », des « possédants » s'inscrit dans la continuité de l'idéologie des droites protestataires françaises. Jean-Marie Le Pen se pose en champion de la lutte contre le « système », symbolisé par ce qu'il appelle « *la bande des quatre* » grands partis (UDF, RPR, PS, PC) et dénonce les technocrates* qui font souvent carrière en politique.

À leur vision rationaliste de l'action publique, il oppose l'instinct et le bon sens populaires. De plus il estime être arbitrairement persécuté par les élites intellectuelles et l'État.

« On ne pourra pas éternellement pressurer la France qui travaille et qui peine pour essuyer des décennies d'incompétence, de corruption et de gabegie. »
National-Provence, journal du FN d'Orange, 1995

La dénonciation des politiciens

L'imbrication trop étroite des affaires et de la politique a produit ces dernières années de nombreux scandales impliquant des élus. Le FN, lui, est en dehors du pouvoir et peut donc clamer qu'il est le seul parti à n'être pas impliqué dans des « affaires ». Il souhaite une « *grande opération mains propres comme en Italie* », « *la prison pour les politiciens corrompus* », à qui il veut « *faire rendre gorge* ».

Le FN dénonce la complicité de la droite et de la gauche à son encontre.

Il est contre ce qu'il appelle « le pouvoir établi » et considère que celui-ci ourdit un complot contre lui, comme par exemple lorsqu'il a été accusé à tort d'être responsable de la profanation* du cimetière juif de Carpentras en 1990. Le FN accuse aussi les médias de l'ignorer alors que l'audience de son président doit beaucoup à la couverture de ses activités par la presse.

Populisme* ou fascisme ?

Le FN incarne une droite libérale en économie et réactionnaire sur les valeurs : 30 % des Français approuvent sa défense des valeurs traditionnelles. Il s'apparente plus aux partis protestataires xénophobes*, du type *Fremskrittspartiet* (« Parti du progrès ») norvégien, ou au *One Nation Party* australien de Pauline Hanson qu'au fascisme. En effet, le Front national n'est pas partisan de l'omnipotence de l'État qui caractérise, par exemple, le fascisme mussolinien, et ne propose pas un changement radical du mode de recrutement des dirigeants du pays.

De même, il n'est en aucune manière révolutionnaire et ne se réclame d'aucune forme de socialisme, même « national ».

Le peuple comme communauté

Seule la tendance ethniste (*völkisch*) du FN défend une conception du peuple empruntée au nationaux-révolutionnaires* allemands des années 1930.

Cette conception définit le peuple en fonction de sa mémoire collective et de son substrat biologique racial. Pour Pierre Vial, dirigeant lyonnais du FN, c'est le respect de ces deux critères qui fait que certains peuples seulement – les « *peuples longs-vivants* » – survivent. Ce courant valorise davantage le clan et la communauté de combat que le peuple. Il se consacre à la formation d'une élite de militants, de soldats politiques, chargés de perpétuer l'héritage national.

Völkisch
Mouvement qui fait partie de la Révolution conservatrice allemande et qui considère la race, le peuple ou l'ethnie, la langue, comme facteurs politiques déterminants.

Le populisme du FN est inacceptable et dangereux, mais il répond à une vraie crise de représentativité des élites françaises. Son succès appelle une véritable refondation du pacte républicain.

L'apport de la nouvelle droite

Fondée en 1968, la nouvelle droite a élaboré au sein du GRECE une idéologie antiégalitariste et ethnodifférentialiste qui a influencé une partie de la droite parlementaire. Bien que ce mouvement et son penseur, Alain de Benoist, aient rejeté les idées du FN, celui-ci a récupéré et détourné leurs thèses.

L'apport théorique

La nouvelle droite a réhabilité l'idée de hiérarchie des races, l'antiégalitarisme et récuse la Déclaration des droits de l'homme. Elle a introduit l'antiaméricanisme – l'Amérique symbolise pour elle la décadence issue du *melting pot* – et l'antilibéralisme économique. Surtout, elle a renversé la notion de droit à la différence, revendiquée par les antiracistes : pour elle l'universel n'existe pas.

Ces idées ont été récupérées par le FN, mais depuis, la nouvelle droite a évolué. Elle a remplacé le racisme* hiérarchisant par le culte de la différence et défend le communautarisme. Elle déclare rejeter les idées du FN et est proche des nationalistes-révolutionnaires* inspirés par la Révolution conservatrice allemande des années 1920-1930. Elle n'est pas hostile à l'islam.

Une passerelle : le Club de l'Horloge

Ce club est fondé en 1974 par Jean-Yves Le Gallou et Yvan Blot, alors membres du PR ou du RPR et anciens du GRECE (Groupement de recherches et d'études pour la civilisation européenne). Le Club de l'Horloge a d'abord cherché à renouveler les idées de la droite RPR et UDF en préconisant l'ultralibéralisme économique, en critiquant radicalement l'égalitarisme et le socialisme, en défendant l'enracinement culturel contre le cosmopolitisme.

Mais la droite a refusé ce programme et, en 1984-1985, les dirigeants du Club de l'Horloge (dont Bruno Mégret)

« Nous savons bien, nous, que nous sommes en guerre. Guerre culturelle, guerre politique, guerre qui n'ose pas dire son nom et pourtant guerre totale. »
Pierre Vial

ont rejoint le FN. Ils ont alors élaboré la politique de l'immigration du Front national.
Partisan d'un État minimal, considérant le christianisme comme pilier de l'identité française, le Club de l'Horloge s'est séparé de la nouvelle droite et sert de passerelle entre l'opposition (RPR-UDF) et le FN.

Réunion des membres du Club de l'Horloge (1981).

Le sang et le sol : Terre et Peuple

En 1995, Pierre Vial, ancien président du GRECE, élu FN du Rhône, fonde l'association Terre et Peuple. Celle-ci défend à la fois une identité fondée sur l'attachement à l'ethnie définie par le sang, et l'idée d'une terre porteuse de la mémoire collective.
Elle est également favorable au régionalisme. Influente auprès des jeunes cadres du Front national, elle utilise une phraséologie qui se veut anti-impérialiste. Sous couvert de combattre le « nouvel ordre mondial » et de défendre certains pays du Sud, elle est prioritairement antiaméricaine et anti-israélienne.

Le courant Mégret

Bruno Mégret dispose au sein du FN d'un réseau bien à lui, basé sur la Délégation générale et le Groupe d'action parlementaire qui élabore la réflexion du parti. Un de ses proches, Jean-Claude Bardet (conseiller régional de Lorraine) dirige la revue théorique du FN : *Identité*.
Candidat à la succession de Le Pen, partisan d'une alliance sous conditions avec une partie de la droite, Bruno Mégret voit son pouvoir contrebalancé par le secrétariat général du FN et, depuis septembre 1997, par le « contre-gouvernement » du parti.

Présentés comme idéologiquement proches, le FN et la nouvelle droite ont aujourd'hui des projets opposés. La nouvelle droite a évolué depuis sa création : mais les idées qu'elle défendait ont été détournées et introduites dans le champ politique par le FN.

Les catholiques traditionalistes

Selon le journal *La Vie*, 71 % des catholiques pratiquants sont hostiles au FN, mal implanté dans les régions de forte pratique religieuse. L'Église se prononce fermement contre les idées frontistes, mais il existe au FN des traditionalistes fidèles au Vatican et des intégristes schismatiques qui se sont séparés de l'Église romaine.

Jean Madiran

Né en 1920, c'est le directeur de *Présent*. Formé par l'écrivain et homme politique nationaliste Charles Maurras, il est le principal théologien laïc du catholicisme intégral contemporain.

Un courant divisé

Lorsque se termine le concile Vatican II (1965), les adversaires du modernisme dans l'Église se rassemblent derrière l'évêque français Marcel Lefebvre (1905-1991). Lorsqu'en 1988, celui-ci nomme quatre nouveaux évêques pour lui succéder à la tête de la Fraternité Saint-Pie X, il crée en fait une Église parallèle non reconnue par le Vatican.

Ceux qui ont souhaité rester sous l'autorité du pape et diffuser leurs idées au sein de l'Église fondent la Fraternité Saint-Pierre, dont est proche le mouvement Chrétienté-Solidarité.

Chrétienté-Solidarité

Ce mouvement, fondé en 1982 par Bernard Antony, a tenu son université d'été 1997 à El Ferrol del Caudillo (Espagne), la ville natale du général Franco (1892-1975). Le franquisme symbolise, en effet, l'idéal politique de ce mouvement. En 1988, lorsque les intégristes catholiques* menés par Mgr Lefebvre se sont retranchés de l'Église, le mouvement Chrétienté-Solidarité est resté fidèle au Vatican. Partisan d'un gouvernement autoritaire, il souhaite une loi civile conforme à la religion catholique. Il insiste sur la permanence du rôle de la France comme « fille aînée de l'Église » et est hostile aux forces perçues comme détruisant l'identité française (communisme, franc-maçonnerie, socialisme et libéralisme). Chrétienté-Solidarité est également hostile à l'islam et au judaïsme.

Il édite le journal *Reconquête* mais s'exprime surtout dans le quotidien *Présent*, organe du courant catholique traditionaliste du FN.

MENSUEL NUMÉRO 125

RECONQUÊTE

SEPTEMBRE 1995 - 10 F

LA TÉNÉBREUSE ALLIANCE

André Rousselet est aujourd'hui le propriétaire principal d'*Infomatin* (78 % des parts). Il fut naguère président de *Canal Plus*, la chaine de télévision qu'il faut payer une seconde fois pour bénéficier d'un surplus de perversion pornographique.

André Rousselet, richissime homme d'affaires, a été aussi un politicien socialiste. Il est toujours un des intimes de François Mitterrand.

Ce qu'il vient de révéler à propos de la situation d'*Infomatin* illustre une fois de plus les analyses magistrales que Jean Madiran publie dans le très intéressant bimestriel *Difrapresse* (*) sur la soumission qu'accepte, à l'exception des publications du mouvement national, une presse plus serve que jamais.

par Bernard Antony

Que dit André Rousselet ?

1) Que la diffusion payée d'*Infomatin* s'est stérilisée à 75 000 exemplaires alors que l'équilibre financier du journal se situe entre 120 et 130 000.

2) Mais qu'une page de « pub » correspond à 20 000 exemplaires vendus.

3) Qu'*Infomatin* subit les exigences du syndicat du Livre C.G.T. mais, déclare-t-il : « *Je ne suis pas Don Quichotte. Je ne prendrai pas le risque d'un conflit* ».

4) Que le rythme des pertes est stabilisé à 45 millions de francs par an et qu'« Infomatin *est adossé à des actionnaires solides et libres* ».

De cela, il ressort :

1) Que le socialiste Rousselet peut prendre 45 millions de francs pour financer le déficit d'*Infomatin*.

2) Que ce n'est pas par la vente de ses numéros que peut vivre *Infomatin* mais par la publicité. Et que le nombre des lecteurs n'est important que parce qu'il s'agit de justifier les tarifs de la publicité indispensable.

3) Que le syndicat C.G.T. du Livre, en violation de la liberté constitutionnelle d'expression des idées et des lois françaises et européennes de la liberté du travail et du commerce, maintient sur la plupart des journaux une dictature idéologiquement communiste, assortie d'une pratique d'intimidation, de violence et de terreur relevant du gangstérisme de Chicago. Le syndicat du Livre, c'est Staline plus Al Capone !

Mais pourquoi donc Rousselet et ses banquiers acceptent-ils de perdre autant d'argent ?

Parce que Rousselet est à la fois un socialiste et un capitaliste ! *Infomatin* est un quotidien qui, dans la haine antinationale et antichrétienne, dans la vulgarité, dans la désinformation, s'est hissé à un niveau tel qu'il ne peut que recevoir un *satisfecit* de la part des puissances idéologico-financières qui dominent le monde.

On peut donc lui accorder chaque année quelques malheureux milliards de centimes. Mais Rousselet pense aussi pouvoir trouver les quelques pages de publicité qui lui permettraient de tirer quelques profits d'*Infomatin*.

Toujours est-il que ses déclarations émises en toute simplicité, en quelque sorte, sans penser à mal, comme on dit, illustrent qu'aujourd'hui comme hier l'argent et la gauche font bon ménage. Le maréchal Pétain dénonçait jadis la ténébreuse alliance du socialisme international et du capitalisme apatride qui avait miné le pays et l'avait conduit à la défaite.

La ténébreuse alliance existe toujours.

(*) Difrapresse - B.P. 13 - 78580 Maule

Les intégristes

Plusieurs cadres du FN soutiennent la Fraternité Saint-Pie X, et Mgr Lefebvre déclarait en 1985 : « *Dans la mesure où Le Pen défend la loi de Dieu* [...] *on ne peut que l'encourager et être avec lui.* » Ce que font François Brigneau, ancien cofondateur de *Présent*, Roland Gaucher, l'ancien directeur de *National Hebdo*, Christian Baeckroot, ancien député FN (élu à Roubaix).

En 1996, le secrétaire général du FN, Bruno Gollnisch, s'est exprimé devant l'université d'été de Renaissance catholique, principal groupe de laïcs lefebvristes. Le FN peut aussi compter sur l'appui du bimensuel catholique *Monde et Vie*, vendu en kiosques.

En Belgique et en Suisse, les lefebvristes soutiennent aussi l'extrême droite locale.

Le projet politique

Les catholiques du FN récusent la notion de laïcité et refusent l'évolution de l'Église vers le modernisme et l'œcuménisme (le rassemblement des Églises chrétiennes).

Ils soutiennent l'école libre et sont très actifs dans la lutte contre l'avortement.

Ils ont célébré en 1996 l'année Clovis, car pour eux, c'est la conversion de ce roi qui est l'acte fondateur de la France. Ils conservent du catholicisme d'avant Vatican II, un très fort antijudaïsme.

À l'intérieur du FN, ils soutiennent Jean-Marie Le Pen contre Bruno Mégret et les « néopaïens ».

Le courant national-catholique est bien implanté parmi les cadres du FN mais sans influence parmi ses électeurs. Sur des questions comme l'identité française ou les rapports entre État et religion, il s'oppose au sein du FN au courant Mégret.

La presse FN

La France est le pays européen où la presse d'extrême droite est la plus nombreuse dans les kiosques. Elle contribue à la diffusion des idées xénophobes* mais est très peu lue en dehors du public des militants et sympathisants frontistes.

Présent : le quotidien de la droite nationale catholique

Fondé en 1982 par le député européen FN Bernard Antony, l'écrivain traditionaliste Jean Madiran et le polémiste, ex-milicien François Brigneau, c'est un journal sans ressources publicitaires, juridiquement indépendant du FN mais qui soutient son action. Il est diffusé à plus de 10 000 exemplaires.
Très proches du mouvement catholique Chrétienté-Solidarité, ses rédacteurs ont refusé, en 1988, de suivre le schisme lefebvriste. Hostile à la laïcité et au progressisme catholique, *Présent* est également opposé à la franc-maçonnerie et aux instances de la communauté juive.

National-Hebdo : l'hebdomadaire officieux

Fondé en 1984, ce journal est dirigé par Jean-Claude Varanne – membre du bureau politique du FN – et le journaliste Martin Peltier. Il est vendu lui aussi à environ 10 000 exemplaires.
Outre des informations sur la vie du parti, il comprend une rubrique littéraire rédigée par le romancier Jean Mabire (spécialiste d'ouvrages sur l'armée nazie), qui présente les auteurs dont la lecture est conseillée aux adhérents. François Brigneau y tient une chronique véhémentement antijuive et négationniste (*voir* pp. 40-41), et Henry Coston, qui fut un des principaux collaborateurs antijuifs

durant la Seconde Guerre mondiale, y a également écrit. *National-Hebdo* est un des supports du rapprochement entre le FN et les groupes radicaux d'extrême droite.

Titres disparus
Le mensuel *Le Choc du mois* disparaît en 1994. *Le Français*, quotidien lancé par le réseau Mégret en 1994, s'arrête en 1995.

Minute : la passerelle avec la droite

Fondé en 1962 par des partisans de l'Algérie française, *Minute* a vendu jusqu'à 200 000 exemplaires et a été le premier journal à dénoncer l'immigration comme cause du chômage et de l'insécurité.
Ce journal fait aussi campagne contre la corruption de la classe politique. Sur le plan des idées, il a préparé le terrain au FN.
Même si Le Pen y a travaillé, *Minute* est toujours resté indépendant du FN. L'émergence politique du FN a d'ailleurs, paradoxalement, coulé ce journal. Il ne se vend plus aujourd'hui qu'à 10 000 exemplaires environ.
Actuellement, *Minute* sert de lieu de débat entre le FN et la partie de la droite qui envisage un accord avec l'extrême droite.

Un foisonnement de bulletins

La presse d'extrême droite compte environ deux cents titres, qui sont essentiellement des petits bulletins. Une grande majorité de ces bulletins soutient le Front national mais possède une audience confidentielle.
Certains journaux pro-FN sont vendus en kiosques : ainsi *Monde et Vie,* bimensuel catholique fondé en 1972, et l'hebdomadaire négationniste *Rivarol,* fondé en 1951.
Le FN édite des publications spécialisées, dont la revue théorique *Identité.* Son organe officiel s'appelle *Français d'abord, la lettre de Jean-Marie Le Pen* (non vendue en kiosques).
Les Éditions nationales sont l'éditeur officiel du FN. D'autres éditeurs le soutiennent également, en particulier les Éditions PRES dirigées par Marie-Caroline Le Pen, DÉFI dirigé par Damien Bariller (le chef de cabinet de Bruno Mégret) et les Presses bretonnes du député européen Le Rachinel.

La presse d'extrême droite, pour la première fois depuis 1945, est sortie de la confidentialité. Dans son contenu, elle est plus radicale que le discours public du FN. Elle est d'ailleurs souvent condamnée par les tribunaux pour ses articles racistes.

Racisme, antisémitisme, négationnisme

Le FN est xénophobe*. Il postule l'inégalité naturelle des races. Les dirigeants frontistes remettent en question l'intégration des Juifs et dénoncent leur influence, jugée excessive sur la politique française. Pour la première fois depuis 1945, l'antisémitisme* et le racisme* sont des enjeux politiques.

Xénophobie ou racisme ?

Pour le FN, « *l'identité française est liée au sang* ». Le Front national considère qu'il existe des étrangers assimilables – les Européens chrétiens – et d'autres inassimilables – ceux du tiers-monde. Il a la hantise du métissage et du contact des cultures. Considérant qu'être français se transmet héréditairement, le FN s'inscrit dans la tradition xénophobe prônée par les écrivains Maurice Barrès (1862-1923) et Charles Maurras (1868-1952).

Il la dépasse même quand Le Pen déclare, en septembre 1996, croire à l'inégalité des races. Le 24 février 1997, Catherine Raskowski, l'épouse de Bruno Mégret, déclare « *il y a des différences entre les races... il y a des différences entre les gènes* ».

Anti-arabisme et anti-islamisme

Pendant la guerre d'Algérie*, l'extrême droite prônait l'assimilation des musulmans. Depuis, elle les tient pour incapables de devenir français et responsables du chômage et de la criminalité. Ce sentiment de supériorité est aggravé par un préjugé religieux : le FN croit que l'islam est intrinsèquement conquérant et fanatique. Il cherche à jouer sur la peur, en prédisant une islamisation de la France par les immigrés.

Les musulmans sont la cible prioritaire du FN, avant les autres étrangers – en particulier les Africains et les Juifs. Le FN s'oppose notamment à la construction de mosquées en France.

L'attitude envers les Juifs

Le FN admet les Juifs comme Français s'ils s'assimilent intégralement et vivent leur judaïté comme un fait secondaire. Pour les intégristes catholiques*, les Juifs restent le « peuple déicide », responsable de la mort de Jésus.

Le FN croit que les Juifs manipulent la vie politique et économique. Il reproche aux associations juives d'avoir demandé que Maurice Papon soit jugé et que la lumière soit faite sur la spoliation des biens juifs par Vichy.

En 1989, Le Pen a dit croire à l'action d'une « internationale juive » contre la France. Toutefois, en 1997, un sondage démontre que 63 % des électeurs potentiels du FN désapprouvent les attaques contre les Juifs.

Le négationnisme

Le négationnisme consiste à nier la réalité de l'extermination des Juifs par les nazis. Certains membres du FN partagent cette idée : en 1976, le frontiste François Duprat diffuse la brochure *Six millions de morts, le sont-ils réellement ?*. Alain Renault, secrétaire général du FN en 1978-1980, écrit : « *Il est évident que le chiffre de six millions de Juifs exterminés n'est qu'une grossière affabulation.* »

Jean-Marie Le Pen est plus prudent : en 1987, il déclare que « *les chambres à gaz sont un point de détail de la Seconde Guerre mondiale* » et demande si « *c'est la vérité révélée à laquelle tout le monde doit croire* ».

Il minimise ainsi la Shoah* et remet en cause son existence. Le Front national réclame l'abrogation de la loi Gayssot (juillet 1990), qui interdit la propagande négationniste.

Propos négationnistes

Le 11 octobre 1989, Jean-Marie Le Pen est condamné par la Cour de cassation pour « *banalisation d'actes constitutifs de crimes contre l'humanité* ».

Le FN veut le renvoi des étrangers et admet l'existence d'une hiérarchie entre les races. Un préjugé contre les Juifs existe dans son discours et mène parfois à la négation du génocide commis par les nazis durant la Seconde Guerre mondiale.

Un parti populaire

L'électorat du FN est majoritairement populaire et urbain, masculin et de niveau d'instruction primaire ou secondaire. Il vient souvent de la gauche. Le choix du FN était un vote de protestation ; il devient un vote d'adhésion.

Un électorat populaire

Aux présidentielles de 1995, 30 % des ouvriers, 25 % des chômeurs et 18 % des employés ont voté FN. L'électorat du FN est donc sociologiquement l'opposé de ses cadres et dirigeants. Seulement 7 % des cadres supérieurs et professions libérales et 11 % des retraités votent pour lui.

Cet électorat est essentiellement masculin et ne comprend que 9 % de diplômés de l'enseignement supérieur. Plus le niveau d'instruction est faible, plus on vote FN.

C'est là où le parti socialiste a le plus régressé depuis 1988 que le FN progresse : cette constatation a motivé son « tournant social » de l'automne 1995. Aujourd'hui, seulement 53 % des électeurs FN se disent « de droite ».

Les raisons du vote

L'électeur FN est surtout motivé par l'immigration, mais aussi, et cela surtout parmi les ouvriers et les employés, par le discours frontiste sur l'insécurité. 78 % des électeurs potentiels du FN apprécient sa demande d'un retour aux valeurs traditionnelles.

Le vote FN traduit une contestation sociale et un rejet des partis traditionnels. Les alternances droite/gauche des années 1980-1990 ont accéléré ce rejet : le FN déclare être la seule alternative qui n'ait jamais été essayée.

Dans les années 1980, la majorité des électeurs FN votait en fonction de la personnalité de Jean-Marie Le Pen. Désormais cet électorat est celui qui vote le plus en fonction d'un programme : il s'agit maintenant d'un vote d'adhésion.

> ***« Une moitié des soutiens du FN ont perdu l'espoir dans l'action collective. Opposés aux conséquences d'une gestion libérale, issus des couches qui fournissaient la base sociologique de la gauche, ces hommes et ces femmes s'engagent dans une impasse et travaillent contre leur intérêt réel. »***
> **René Monzat, journaliste, spécialiste de l'extrême droite**

L'enracinement

Aux législatives de 1997, le FN fidélise ses électeurs : dans les triangulaires (trois partis encore « en course » au second tour), il garde au moins 80 % de ses voix du premier tour. Mieux, ses candidats présents dans des duels au second tour gagnent entre 10 et 40 % de voix. Le FN dispose donc d'une marge de progression. Ses cadres locaux qui ont une bonne image contribuent à sa progression : Jean-Marie Le Chevallier est élu député à Toulon, Bruno Mégret obtient la majorité absolue à Marignane (même circonscription que Vitrolles aux législatives de juin 1997), Pierre Jaboulet-Vercherre gagne 4,5 % en Côte-d'Or. Cette progression n'est pas inéluctable : à Dreux, où son mari était élu, Marie-France Stirbois a perdu 6 % depuis 1993.

Un parti sans concurrence

Le FN est maintenant la seule force politique à la droite de la droite. Le Mouvement pour la France, fondé par Philippe de Villiers (qui n'est pas d'extrême droite) avait limité la percée du FN en remportant 12,33 % aux européennes de 1994. Mais, allié au Centre national des indépendants, dirigé par Olivier d'Ormesson (ancien élu FN), il s'effondre aux législatives de 1997 avec 2,8 % de voix recueillies.

Les autres partis d'extrême droite sont inexistants : le Parti national républicain ne dépasse jamais 0,5 %, le groupe de Robert Spieler, Initiative Alsace, recueille, dans les circonscriptions d'Alsace où il se présente, environ 5 %.

> Les progrès du FN en milieu populaire imposent aux partis démocratiques, notamment de gauche, de faire revenir vers eux les électeurs frontistes. Cela n'est possible que s'ils proposent des réponses aux questions de l'identité nationale et de la sécurité.

Le FN dans les régions

À l'approche des élections régionales de 1998, il faut établir la carte du vote FN dans les régions et chercher la cause de son enracinement dans certaines, de sa durable stagnation dans d'autres.

Les terres de mission

Depuis 1988, certaines régions restent rétives à la progression frontiste. Ce sont celles situées à l'ouest d'une diagonale reliant Caen à Limoges et Perpignan. En Bretagne, Pays de Loire et Limousin, le FN réalise moins de 9,6 % des voix. En Aquitaine, Auvergne, Poitou-Charentes, Normandie et Midi-Pyrénées, il stagne en dessous de 14 %.

Ces terres de mission sont pour certaines des régions de vieille tradition catholique : la pratique religieuse est un frein à l'avancée du FN. D'autres sont des régions rurales laïques acquises à la gauche. Toutes ont en commun d'avoir des notables politiques bien implantés et d'être moins touchées par la récession que la moyenne.

Les bastions

Ce sont des régions fortement urbanisées où sévit la crise économique et où la restructuration industrielle génère le chômage. Dans ces zones, les maux de la ville et de ses banlieues (délinquance, difficultés de logement...) produisent une inquiétude que seul le FN prend en charge. Il progresse donc dans l'Est (Alsace-Lorraine), le Nord - Pas-de-Calais, la région parisienne et dans la région lyonnaise. Ses scores ne sont pas toujours directement liés à la présence des étrangers : l'insécurité est aujourd'hui une motivation de vote FN presque aussi forte que l'immigration.

Le FN progresse dans les régions limitrophes de l'Île-de-France (Picardie, départements de l'Aube, du Loiret, de l'Eure-et-Loir), où les habitants viennent souvent travailler en région parisienne. En Provence-

Alpes-Côte d'Azur, le FN stagne. Son score élevé est lié au délitement des élites politiques et aux affaires de corruption.

L'Île-de-France

Aux européennes de 1984, le FN perce dans les quartiers bourgeois de l'Ouest parisien. Dès 1986, la tendance s'inverse : il réalise ses meilleurs scores dans les arrondissements populaires du Nord-Est où l'immigration, le chômage et les problèmes de logement sont forts. La présence d'un RPR fortement structuré limite toutefois sa progression.

La Seine-Saint-Denis, en banlieue, et l'Oise donnent plus de 20 % au FN. On constate une forte poussée dans les villes les plus éloignées de la capitale, la « troisième couronne », où les problèmes de surendettement, d'emploi et de transport sont importants.

Une spécificité locale : l'Alsace

Le FN dépasse 20 % des voix en Alsace et Moselle. Dans le Bas-Rhin et le Haut-Rhin, cette poussée s'explique par une modification de la structure industrielle qui voit le capital s'internationaliser plus qu'ailleurs, et dans les campagnes, par une crise du vignoble en partie due à la politique européenne. Cette poussée s'explique aussi par un sentiment de faiblesse face à l'Allemagne, où la monnaie est forte et l'emploi plus stable.

Dans l'Alsace « bossue », les cantons protestants et germanophones (cantons de Drulingen, Bouxwiller, Sarre-Union) votent plus Front national que la moyenne. C'est la même chose en Moselle où, dans les cantons qui ont conservé le dialecte, il dépasse les 25 %.

Un conseiller général FN

En octobre 1997, Gérard Freulet (*ci-dessous*, candidat FN) a été élu conseiller général de Mulhouse (Haut-Rhin) avec 53 % des voix.

Le vote FN s'homogénéise un peu partout. Aux législatives de 1997, il progresse fortement dans les terres de mission, surtout en zone rurale. Ses deux bastions actuels sont l'Alsace et la région Paca (Provence-Alpes-Côte d'Azur).

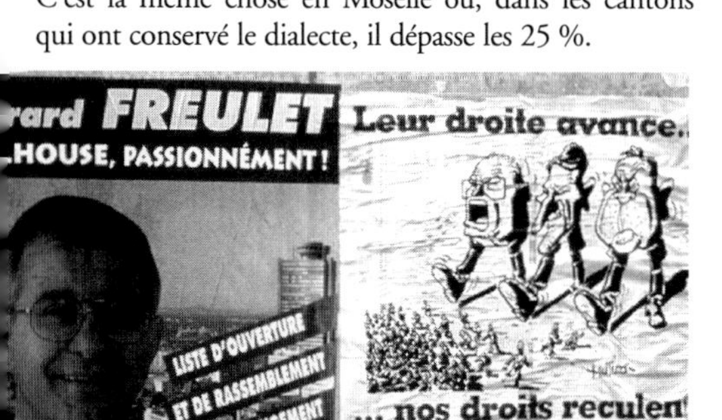

Les municipalités du FN

En juin 1995, le FN a conquis les mairies de Marignane, Orange et Toulon, puis en 1997 celle de Vitrolles. L'effondrement des clientélismes politiques, la corruption, les divisions de la droite et de la gauche l'ont favorisé. Sa gestion municipale préfigure ce que serait son action au gouvernement.

Orange : le bastion du Vaucluse

En 1995, Jacques Bompard – un catholique traditionaliste proche du monastère du Barroux (monastère bénédictin dans le Vaucluse) – devient maire, avec 35,9 % des voix. Un taux de chômage de 25 %, une forte dette municipale et la division du RPR local lui permettent de l'emporter. Le vote des pieds-noirs et celui des militaires également.

Depuis ce succès électoral, la mairie a réduit de 20 % les subventions accordées aux associations et a un temps cessé de financer le festival d'art lyrique des Chorégies. L'espace Clodius, salle polyvalente à vocation culturelle, a été remis en question. L'Opar, organisme d'aide aux SDF, a été supprimé. Enfin un grand nombre des 600 employés communaux ont été licenciés ou forcés à partir.

Marignane : une gestion contestée

Face à une droite divisée, Daniel Simonpiéri a gagné cette ville proche de Marseille avec 37,27 % des voix. Ce résultat a été obtenu ici aussi grâce au vote pied-noir, au surendettement de la commune, au taux de chômage (16 %) et à un fort sentiment d'insécurité. La gauche n'est pas représentée au nouveau conseil municipal.

La municipalité a réservé l'accès aux cantines aux enfants dont les deux parents travaillent, précarisant ainsi davantage les familles où existe le chômage. Elle a instauré une discrimination dans l'emploi : les patrons qui embauchent des chômeurs marignanais reçoivent une aide.
En septembre 1997, le directeur de cabinet du maire, Raymond Lecler, a démissionné, accusant le maire d'irrégularités de gestion.

Un ancien FN élu à la mairie de Nice
À Nice, Jacques Peyrat, ancien élu FN passé au RPR, a été élu maire en 1995.

Toulon : la seule grande ville FN

Toulon compte 170 000 habitants. Aidé par le maintien de la gauche au second tour, Jean-Marie Le Chevallier a gagné la mairie avec 37,02 % des voix. L'électorat bourgeois de cette ville minée par la corruption a plébiscité la liste FN sur laquelle figurent de nombreux militaires.
Celle-ci n'a pas tenu sa promesse de baisser les impôts : au contraire ils ont augmenté de 5,5 % en 1996. Le centre municipal d'aide à la jeunesse a été remplacé par une association fondée par l'épouse du maire. La ville a voulu, sans succès, se jumeler avec la cité palestinienne autonome de Jenine mais a refusé d'inviter l'écrivain juif Marek Halter à sa fête du livre. Le marché est désormais réservé aux produits régionaux, cela afin d'éliminer les marchands africains et arabes.

Vitrolles : le tandem Mégret

Bruno Mégret étant inéligible, c'est son épouse Catherine qui a été élue au second tour, avec 52,5 % des voix. C'est lui pourtant qui exerce vraiment le pouvoir avec le premier adjoint Hubert Fayard.
Comme dans les trois villes précédentes, le sentiment d'insécurité est faussement entretenu : la police municipale a été renforcée alors que la délinquance y est en baisse depuis quatre ans. La « maison du droit », qui aidait les Vitrollais en difficulté, a été démantelée. L'association frontiste Fraternité française cherche à s'implanter dans le domaine caritatif afin de ramener des voix au parti.

Toutes situées dans la région Provence-Alpes-Côte d'Azur, les municipalités FN lui servent de tremplin pour conquérir le conseil régional en 1998. Ses méthodes de gestion affaiblissent la démocratie locale et suscitent la mobilisation de ses adversaires.

Les jeunes et le FNJ

Lors de l'élection présidentielle de 1995, 18 % des moins de 18-24 ans ont voté FN. Ceux qui militent appartiennent au Front national de la jeunesse (FNJ), qui élabore une véritable « culture jeune » d'extrême droite.

« Déjà nos cœurs et nos têtes préparent l'insurrection libératrice qui balaiera cette dictature mondialiste et capitaliste. »
L'Épervier, **bulletin de jeunes frontistes, Châteauroux (Indre)**

Le FNJ : aiguillon idéologique et vivier de cadres

Fondé en 1973, le Front national de la jeunesse encadre les militants âgés de 16 à 24 ans et revendique 12 000 adhérents.

Dirigé par Samuel Maréchal (gendre de Jean-Marie Le Pen), il professe une idéologie nationaliste-révolutionnaire* et a poussé le FN a adopter le slogan : « Ni droite, ni gauche, Français ! »

Par son slogan « FNJ, la vague rebelle », il cherche à récupérer l'esprit anticonformiste et contestataire d'une jeunesse méfiante envers la politique.

L'ÉPERVIER

AUTOMNE 96 - N°1 - Prix: 10 francs

Nouvelle Croisade

Enquête sur le SCALP

Dossier: La Croix Celtique

Portrait: Xavier Vallat

RUBRIQUES
- ça s'est passé près de chez vous!
- Lectures Dangeureuses
- Connaissez-vous ?
- Portrait d'un Nationaliste
- Combat musical
- Notre Clan

"J'avais rêvé d'un siècle de chevaliers, forts et nobles, se dominant, avant de dominer. Dur et pur disaient mes bannières."
Léon Degrelle, 1964

Son nationalisme* est identitaire, favorable aux racines païennes de l'Europe et antiaméricain. Influencé par les mouvements allemands, de type « *Wandervögel* », il inculque à ses membres le sens de la communauté et du clan.

Le Renouveau étudiant

Actif dans les universités et dirigé par Samuel Bellanger, Renouveau étudiant n'a obtenu en 1996 aux élections des Crous que 2,95 % des voix, réalisant ses meilleurs scores à Aix-en-Provence, à Strasbourg (en Droit) et à Paris-II-Assas (ancien fief du Gud).

Par l'intermédiaire de Renouveau lycéen, Renouveau étudiant cherche à s'implanter dans chaque lycée de France.

Sa revue, *Offensive pour une nouvelle université,* prône la résistance culturelle à l'américanisation et à l'égalitarisme. Ce souci de l'enracinement qui passe par le régionalisme l'amène à souhaiter une alliance entre peuples européens et tiers-monde, à la condition que ces peuples ne se mélangent pas.
Très anti-israélien, il soutient le négationnisme (*voir* pp. 40-41) de l'écrivain Roger Garaudy, ainsi que les Palestiniens hostiles à la paix.

Wandervögel
Mouvement de jeunesse nationaliste allemand, fondé vers 1895 et dissous par les nazis en 1933.

De nouveaux enjeux culturels

Pour recruter, le FNJ doit aborder dans ses revues des sujets jusqu'alors bannis par l'extrême droite mais qui sont les moyens d'expression de l'actuelle génération. Le principal moyen utilisé est la musique : des groupes engagés font passer leur message par le rock (Vae Victis, Korma), le *hardcore* (Fraction Hexagone) ou la « oi », spécialité des skinheads*, tandis que d'autres genres comme la musique industrielle et le *black metal* gagnent des adeptes.
La bande dessinée est récupérée par des auteurs comme Alain Sanders et Francis Bergeron (de *Présent*) ou par la revue marseillaise *Bédésup.*
Par leur allure extérieure, leur mode de vie, leur attitude face aux problèmes de société et de morale, les jeunes du FN se distinguent de moins en moins des jeunes de leur génération.

Les nationalistes-révolutionnaires

Des groupuscules existent qui attirent les jeunes : ils sont majoritairement paganistes*, antisionistes* et opposés aux valeurs bourgeoises et marchandes. Désormais la plupart de leurs membres appartiennent aussi au FN, ou le soutiennent : ainsi Nouvelle Résistance* et une partie d'Œuvre française, ou bien encore des bulletins comme *Réfléchir et Agir* ou *Imperium.*
Seuls les skinheads – soit environ 1 000 militants néonazis – critiquent le FN comme étant trop modéré et légaliste.

En les absorbant au fur et à mesure qu'il progresse, le FNJ réduit l'influence des groupuscules de jeunes d'extrême droite. Son idéologie radicale forme une génération de frontistes qui prône l'action directe et défend une conception raciale de l'identité nationale.

Le FN après Le Pen

Disposant désormais d'un électorat stable et fidèle, le FN n'est plus dépendant de la seule image de Jean-Marie Le Pen, son président. Son avenir sera fonction de sa capacité à briser son isolement politique en contractant des alliances avec une partie de la droite sur un programme de gouvernement.

Un président tout-puissant

Jean-Marie Le Pen préside le parti sans interruption depuis 1972. Il est réélu sans vote, tacitement, à chaque congrès du FN. Il a statutairement le droit de nommer vingt militants de son choix au comité central du FN, où siègent deux de ses filles et son gendre Samuel Maréchal. Il préside également le groupe des élus au Conseil régional de Provence-Alpes-Côte d'Azur et est député européen.
Toutefois, malgré la forte personnalisation du parti autour de sa personne, et en raison de son âge (soixante-neuf ans en 1997), la question de sa succession se pose désormais.

« Tant que la gauche et la droite classiques resteront divisées par des querelles de tendance ou de personnes, tant que les affaires éroderont la confiance dans les partis de gouvernement, il y aura un espace politique pour l'extrême droite. »
Nonna Mayer, Pascal Perrineau, politologues

Une ligne politique contestée

Une querelle de personnes existe au sein du FN, qui oppose Le Pen à son délégué général Bruno Mégret. Mais cette querelle couvre également une différence de stratégie dans la conquête du pouvoir.
Le Pen souhaite que le FN arrive au pouvoir seul. Il refuse tout accord avec le RPR et l'UDF, tant que ceux-ci s'opposent aux thèses de son parti. Il pense pouvoir arriver en tête des candidats de droite lors d'une élection présidentielle et aller au second tour. Il refuse également que les candidats frontistes se désistent pour la droite aux législatives.
Mégret, pour sa part, est favorable à des accords nationaux. Il mise sur la division de l'opposition et pense que pour reconquérir la majorité, une partie de la droite pourrait accepter de s'allier avec le FN.

Deux dauphins, deux clans

Depuis la présidentielle de 1995, Bruno Mégret a mis en place un réseau – encadré par des militants formés par la nouvelle droite – et qui, au sein du FN, lui est tout dévoué. Renforcé par sa victoire à Vitrolles, il est apparu au congrès de Strasbourg comme le successeur le plus probable de Le Pen. Son concurrent principal est le secrétaire général du FN Bruno Gollnisch. Ce dernier est appuyé par le courant catholique du FN, par Samuel Maréchal (le président du FNJ) et par le député européen ultralibéral Jean-Claude Martinez. La « vieille garde » des compagnons de Le Pen, menée par les vice-présidents Roger Holeindre et Dominique Chaboche, le soutient également.

Jean-Marie Le Pen, entouré de Bruno Gollnisch et de Bruno Mégret.

Bruno Mégret, technocrate et idéologue

Né en 1950, polytechnicien et ingénieur des Ponts et Chaussées, Bruno Mégret est d'abord collaborateur d'un ministre gaulliste (Robert Galley) avant de fonder, en 1981, les Comités d'action républicaine (CAR).
Il est membre du comité central du RPR jusqu'à ce qu'il adhère, en 1985, au FN.
Il devient député Front national en 1986.
En 1997, son épouse Catherine devient maire de la ville de Vitrolles (près de Marseille), qu'il dirige en fait. Déjà conseiller régional de Provence-Alpes-Côte d'Azur, il veut faire gagner au FN les élections régionales de 1998.
Bruno Mégret passe pour très proche des idées prônées par la nouvelle droite dans les années 1980. Il n'a toutefois pas appartenu au GRECE (Groupement de recherches et d'études pour la civilisation européenne).

Le FN ne disparaîtra pas avec Le Pen. Seule une solution politique aux problèmes économiques et sociaux, problèmes qui mobilisent l'électorat frontiste, permettra aux partis démocratiques de réduire l'influence de l'extrême droite.

Les alliances avec la droite

Aux législatives de 1997 (remportées par la gauche) la droite a recueilli 37 % des voix. Elle n'était donc majoritaire qu'avec les 15 % obtenus par le FN. Les dirigeants du RPR et de l'UDF refusent un accord national avec le FN mais certains élus de droite veulent l'union avec lui.

Un principe : pas d'alliance

Le RPR et l'UDF refusent aujourd'hui tout accord avec le FN. Pourtant, en 1983, Simone Veil et Bernard Stasi (UDF) étaient seuls à se prononcer contre. Sans passer d'accord, certains ont tenu un langage ambigu : Charles Pasqua, par exemple, a évoqué ses « valeurs communes » avec le FN.

Par contre le président Jacques Chirac a toujours été hostile à une alliance avec le FN. Alors Premier ministre, Alain Juppé s'est prononcé contre « le racisme* et l'antisémitisme* » du FN, tout comme, à l'UDF, François Léotard et François Bayrou. La droite constate que lorsqu'elle utilise le langage du FN, elle perd des voix et fait progresser ce dernier. Elle souhaite donc récupérer ses électeurs sans rien céder sur le plan des idées. Les rares partisans d'un accord avec le Front national sont l'éditorialiste du *Figaro* Alain Peyrefitte et l'ancien député PR Alain Griotteray.

Des précédents : les accords locaux

Des complaisances ont cependant existé et qui ont favorisé la percée du FN. Aux régionales de 1986, les voix du FN ont donné la présidence à la droite dans six régions et en Paca (Provence-Alpes-Côte d'Azur) l'UDF a passé une alliance avec lui. Actuellement le Front national détient des vice-présidences dans plusieurs conseils régionaux.

Aux législatives de 1988, un accord de désistement a vu le candidat de droite se retirer devant celui du FN dans huit circonscriptions des Bouches-du-Rhône.

La percée du FN n'est toutefois pas due qu'à « l'aveuglement » de la droite : la gauche au pouvoir a laissé faire, pensant de cette manière diviser l'opposition. Elle a ainsi favorisé, en 1984, l'accès de Le Pen aux chaînes télévisées nationales.

« Est-ce que De Gaulle a fait alliance avec Vichy quand il est allé à Londres ? De Gaulle a combattu et il a gagné. Notre attitude vis-à-vis du FN doit être gaulliste. »
Éric Raoult, ancien ministre RPR

Le FN face à la droite

« *Nous ne serons jamais au pouvoir qu'en situation dominante pour appliquer notre programme* » dit Bruno Mégret. Afin d'arriver au pouvoir, Mégret accepte de s'allier avec des élus de droite, acquis aux idées du FN. Le Pen et Gollnisch, au contraire, veulent gagner seuls.

Mégret a demandé des désistements réciproques entre FN et droite, mais Le Pen refuse cet accord tant que la droite accuse son parti de ne pas être un parti démocratique. Il attend la décomposition du RPR et de l'UDF pour récupérer ses cadres et ses électeurs.

Le front républicain

Face au FN, droite et gauche se sont parfois désistées l'une en faveur de l'autre, lorsque leur candidat était opposé au Front national. C'est la tactique du « front républicain », qui a échoué à Vitrolles mais réussi à Gardanne.

Utile pour limiter les avancées du FN, le front républicain est toutefois dangereux car il peut donner l'impression qu'il n'existe plus de clivage d'idées entre la droite et la gauche. Le FN est ainsi mis au centre du débat politique et finit par apparaître comme la seule opposition au « système », terme qu'il utilise pour désigner la classe politique.

Philippe Séguin résume la position de la droite face au FN : « *Ni alliance ni diabolisation.* » Cependant, il existe chez les militants du RPR un courant favorable à l'union : 27 % de ses sympathisants sont « assez d'accord » avec les idées du FN. Efficacité politique ou valeurs morales : l'opposition devra trancher.

Les contacts à l'étranger

Le Front national cherche à sortir de son isolement en nouant des contacts avec des partis nationalistes étrangers. En Europe de l'Est, ses thèses rencontrent un certain écho. Panorama de cette internationale nationaliste.

Au Parlement européen

En 1984 et 1989, le FN envoie dix députés au Parlement européen. Ils forment, avec le Mouvement social italien (MSI), les *Republikaner* allemands et le *Vlaams Blok* belge, le Groupe des droites européennes. Comme tout parti, le FN dispose à Strasbourg d'importantes facilités matérielles. Toutefois, des dissensions ont conduit à la disparition de ce groupe : les *Republikaner* et le MSI (devenu Alliance nationale) refusent l'extrémisme du FN, qui reste allié au *Vlaams Blok*. En 1997, trente et un députés d'extrême droite, dont onze du FN, siègent au Parlement européen comme non-inscrits.

En Europe occidentale

Le FN entretient des contacts avec d'autres partis nationalistes qui refusent l'intégration européenne. Son principal allié, le *Vlaams Blok*, est antifrancophone et prône la disparition de la Belgique au profit d'une Flandre indépendante. Les liens sont plus lâches avec le Front nouveau de Belgique dirigé par le député Marguerite Bastien.

En Italie, le Front national est allié au MSI-Flamme tricolore de Pino Rauti, qui reste attaché à l'idéologie du fascisme mussolinien. En Allemagne, il s'est rapproché de la *Deutsche Liga* de Harald Neubauer.

Ailleurs les alliés du FN sont des partis marginaux : ainsi l'Alliance pour l'unité nationale en Espagne (néofranquiste et intégriste catholique*), l'EPEN en Grèce (nostalgique de la dictature des Colonels) ou l'Union patriotique nationale finlandaise. Tous ces partis recueillent chez eux moins de 1 % des voix.

En Europe de l'Est

Le FN développe ses relations avec l'Europe de l'Est, en vue de l'élargissement, en l'an 2000, de l'Union européenne. Les partis auxquels il est lié sont importants et représentent un courant nationaliste xénophobe* et antisémite*. Ainsi le MIEP de Istvan Csurka en Hongrie, Romania Mare en Roumanie (qui a participé au gouvernement Vacaroiu en 1995), le Parti nationaliste slovaque (SNS), qui détient trois ministères, ou encore les Républicains tchèques qui rassemblent 8 % des voix.

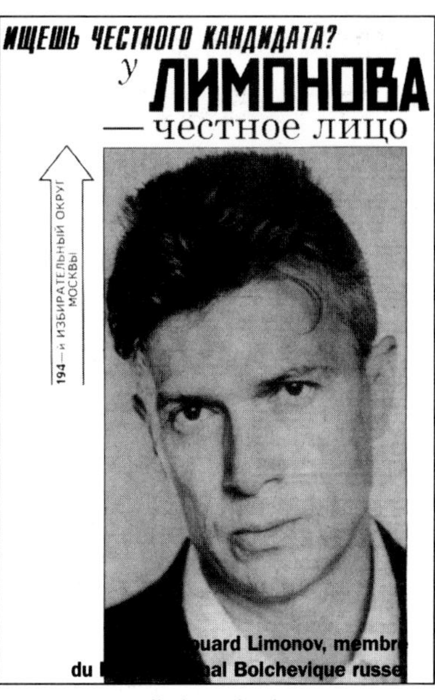

...uard Limonov, membr... du ... al Bolchevique russe

Le FN entretient des liens étroits avec l'aile radicale du parti croate au pouvoir, ainsi qu'avec le Parti du Droit, héritier des Oustachis. En 1997, Jean-Marie Le Pen s'est rendu en Serbie pour appuyer le Parti radical de Vojislav Seselj, chantre de l'épuration ethnique et de la « grande Serbie ».

Ailleurs dans le monde

Le courant catholique Chrétienté-Solidarité a soutenu des mouvements anticommunistes du tiers-monde comme la *Contra* au Nicaragua ou l'Arena au Salvador. Il s'est également engagé auprès des chrétiens libanais menacés par la Syrie : plusieurs cadres du FN ont combattu dans la milice des Phalanges.

Depuis la guerre du Golfe* (1990), le FN soutient le régime irakien de Saddam Hussein : la femme de Jean-Marie Le Pen préside l'association SOS-Enfants d'Irak, qui collecte des aides destinées aux victimes du blocus international.

Le FN veut regrouper autour de lui les principaux mouvements d'extrême droite européens. Et particulièrement les groupes d'Europe de l'Est nostalgiques des régimes autoritaires profascistes.

La mobilisation anti-FN

En mars 1997, 75 % des Français pensent que le FN est un danger pour la démocratie. Chez les jeunes de 18 à 24 ans, cette proportion passe à 81 %. Ce taux de rejet, en hausse continue, est suivi par une importante mobilisation des acteurs sociaux et associatifs contre le FN.

L'action des associations

Le refus des idées du FN mobilise souvent des citoyens qui, sans être des militants politiques, sont attachés aux idées républicaines. Leur motivation est avant tout morale. Des associations comme SOS-Racisme ou la Licra (Ligue internationale contre le racisme* et l'antisémitisme*) répondent à leur attente. D'autres mouvements pensent que la montée du FN a des causes politiques, qu'il faut donc la combattre en transformant la société. Engagés à gauche, c'est le cas du Mrap (Mouvement contre le racisme et pour l'amitié entre les peuples), de la Ligue des droits de l'homme, du Manifeste contre le Front national, de Ras l'Front et des libertaires du réseau RÉFLEXes. Tous ont contribué à la manifestation qui, en mars 1997 à Strasbourg, a mobilisé 40 000 personnes contre le congrès du FN. Enfin, l'Église catholique, la Fédération protestante, les autorités religieuses juives et musulmanes se sont prononcées contre les idées du FN.

« L'action culturelle et politique est destinée à ne produire que des effets modestes si elle n'est pas accompagnée d'une intervention sociale dans les lieux où le FN trouve un terrain idéal de développement à cause du chômage, de l'exclusion, de la misère et du désespoir. »
Alain BIHR, sociologue

Dans les municipalités FN

Les méthodes d'action municipale du FN mobilisent contre lui nombre d'acteurs culturels et sociaux. Les associations locales comme Alerte orange à Orange, Alarme citoyens à Marignane, Carrefour laïque à Vitrolles, la Coordination toulonnaise pour la défense des valeurs républicaines et le Rassemblement des citoyens toulonnais pour la démocratie travaillent en réseau avec l'Association pour la démocratie à Nice. En 1997, ces associations ont

organisé une « Université citoyenne » contre l'université d'été du FN et une Fête du livre concurrente de celle de Toulon.
À Vitrolles, l'association La Charrette rassemble les agents municipaux licenciés par le FN et les défend en justice.

VIGILANCE RÉPUBLICAINE
EN PARTENARIAT AVEC LE CERA (CENTRE EUROPÉEN DE RECHERCHE ET D'ACTION SUR LE RACISME ET L'ANTISÉMITISME)
LA PUBLICATION DE L'OBSERVATOIRE DE L'EXTRÉMISME
L'urgence d'un sursaut
SOMMAIRE
n°8 Octobre 1997

Le FN devant la justice

Les associations ont aussi pour but de faire condamner le FN en justice et l'assignent régulièrement devant les tribunaux. Catherine Mégret, maire de Vitrolles, a été poursuivie en 1997 pour des propos tenus sur l'inégalité des races et publiés par le quotidien allemand *Berliner Zeitung*. La mairie de Marignane a été condamnée pour avoir retiré de sa bibliothèque municipale des périodiques qu'elle jugeait lui être hostile.
Par contre, le FN a obtenu la reconnaissance effective de son syndicat de gardiens de prisons, FN-Pénitentiaire.

Informer pour mieux combattre

Plusieurs centres de recherche analysent la montée de l'extrême droite en Europe et du FN en France. Le Cera (Centre européen de recherche et d'action sur le racisme et l'antisémitisme) et le Crida (Centre de recherches, d'informations et de documentation antiracistes) éditent un rapport annuel sur ces phénomènes. L'Observatoire de l'extrémisme informe, dans son journal *Vigilance républicaine,* les élus et les citoyens sur l'idéologie du FN. En Belgique, la revue *Résistances* couvre largement l'action du FN français.

Le rejet du FN par les trois quarts de l'électorat n'empêche pas 25 % des Français d'être d'accord avec les positions de Jean-Marie Le Pen sur l'immigration. Face aux progrès électoraux du FN, la mobilisation des associations et des syndicats s'organise activement.

Glossaire

Action française : mouvement royaliste fondé en 1899 par Charles Maurras (1868-1952) et qui a pour idéologie le nationalisme* intégral.

Antisémitisme : préjugé d'hostilité envers les Juifs, considérés comme inférieurs et étrangers à la Nation dont il font partie.
Il faut le différencier de l'anti-judaïsme, de nature religieuse, qui, dans le christianisme, tient tous les juifs collectivement pour responsables de la mort de Jésus.

Antisioniste : personne qui refuse d'accepter l'existence de l'État d'Israël et le droit de tous les Juifs dans le monde à s'y installer.

Brasillach (Robert) : écrivain français (1909-1945), journaliste pro-nazi à *Je suis partout* pendant l'Occupation. A écrit notamment : « *Il faut se séparer des Juifs en bloc et ne pas garder de petits.* » Fusillé à la Libération.

Collaboration : politique décidée par le maréchal Pétain et le régime de Vichy, pour aider l'occupant nazi, notamment dans la répression de la Résistance et l'organisation du génocide des Juifs.

Contre-révolution : idéologie apparue après 1789 et opposée aux droits de l'homme, au libéralisme politique et à la démocratie.

Double nationalité : situation qui permet à un individu d'être citoyen de deux pays à la fois.

Guerre d'Algérie : elle oppose entre 1954 et 1962 l'armée française et le FLN algérien, qui cherche à obtenir l'indépendance par la lutte armée et le terrorisme. L'indépendance de l'Algérie, alors département français, est décidée par les accords d'Évian du 18 mars 1962.

Guerre du Golfe : guerre consécutive à l'invasion du Koweit par l'Irak en août 1990. Elle oppose ce pays à une force internationale dirigée par les États-Unis et à laquelle participe la France.

Intégriste catholique : partisan d'une doctrine qui refuse la séparation du religieux et du politique et s'oppose aux évolutions liturgiques et doctrinales décidées par le concile Vatican II.

Nationalisme : idéologie qui fait de la Nation la valeur suprême en lieu et place de la démocratie et de l'individu.

Nationaliste-révolutionnaire : partisan d'une doctrine qui vise à l'établissement d'un État autoritaire remplaçant le capitalisme par le corporatisme et l'étatisation de l'économie.

Naturalisation : acte juridique par lequel un étranger devient citoyen du pays où il réside.

Nouvelle Résistance : groupe national-bolchevique fondé en 1991 par Christian Bouchet. Compte environ 150 adhérents.

OAS (Organisation armée secrète) : groupe armé clandestin, dirigé par des officiers, qui combat le régime gaulliste pour obtenir que l'Algérie reste française et tente un putsch militaire en avril 1961.

Paganisme : croyance religieuse en plusieurs divinités. S'oppose au monothéisme, croyance en un dieu unique, comme dans le judaïsme, le christianisme et l'islam.

Populisme : idéologie visant à transférer le pouvoir de décision politique au peuple au détriment des Assemblées.

Profanation de Carpentras : saccage, en mai 1990, d'une tombe du cimetière juif de Carpentras (Vaucluse) par des skinheads* arrêtés en 1996.
Attribué à tort à des proches du FN.

Proportionnel (scrutin) : mode d'élection qui détermine le nombre d'élus de chaque parti en fonction du pourcentage de voix qu'il obtient. S'oppose au scrutin uninominal (le candidat élu est celui qui obtient la majorité).

Racisme : croyance ascientifique en la supériorité d'un groupe humain, défini comme une race, sur tous les autres.

Shoah : génocide de six millions de Juifs par les nazis pendant la Seconde Guerre mondiale (1939-1945).

Glossaire (suite)

Skinheads : jeunes racistes néonazis pour la plupart, qui se distinguent par leur crâne rasé et la musique qu'ils écoutent, appelée « oi ».

Solidarisme : idéologie prônant une troisième voie entre capitalisme et communisme.

Technocrates : hauts fonctionnaires chargés de l'élaboration des décisions techniques et administratives au sein de l'État.

Xénophobe : personne ayant un préjugé à l'encontre des étrangers ou des nationaux d'origine étrangère.

Bibliographie

Un ouvrage indispensable

Pascal PERRINEAU et Nonna MAYER, (sous la direction de), *Le Front national à découvert*, Presses de Sciences-Po, 1996.

Autres livres

BIHR (Alain), *Pour en finir avec le Front national*, Syros, 1992.

BIRENBAUM (Guy), *Le Front national en politique*, Balland, 1992.

BRESSON (Gilles), LIONNET (Christian), *Le Pen, biographie*, Le Seuil, 1994.

CAMUS (Jean-Yves), *Le Front national, histoire et analyses*, Nouvelles Éditions Laurens, 1997.

DURAND (Géraud), *Enquête au cœur du Front national*, Éditions Jacques Grancher, 1996.

HENNION (Blandine), *Le Front national, l'argent et l'establishment*, La Découverte, 1993.

KONOPNICKI (Guy), *Les Filières noires*, Denoël, 1996.

MARTIN-CASTELNAU (David), *Combattre le Front national*, Vinci, 1995.

MONZAT (René), *Enquêtes sur la droite extrême,* Le Monde éditions, 1992.

ORFALI (Brigitta), *L'Adhésion au Front national,* Kimé,1990.

PERRINEAU (Pascal), *Le Symptôme Le Pen,* Fayard, 1997.

PLENEL (Edwy), ROLLAT (Alain), *La République menacée : dix ans d'effet Le Pen,* Le Monde éditions, 1992.

RAS L'FRONT, *La Résistible Ascension du F. Haine,* Éditions Syllepse, 1996.

ROSSI (Éric), *Jeunesse française des années 80-90, la tentation néofasciste,* LGDJ, 1995.

SOUDAIS (Michel), *Le Front national en face,* Flammarion, 1996.

TAGUIEFF (Pierre-André), *La République menacée,* Textuel, 1996.

TRISTAN (Anne), *Au Front,* Gallimard, 1987.

VAN DEN BRINKE (Rink), *L'Internationale de la haine,* Éditions Luc Pire (Bruxelles), 1996.

Ouvrages favorables au FN

BARILLER (Damien), TIMMERMANS (Franck), *20 ans au Front, l'histoire vraie du Front national,* Éditions nationales, 1993.

BERGERON (Francis), VILGIER (Philippe), *De Le Pen à Le Pen,* Dominique Martin-Morin, 1984.

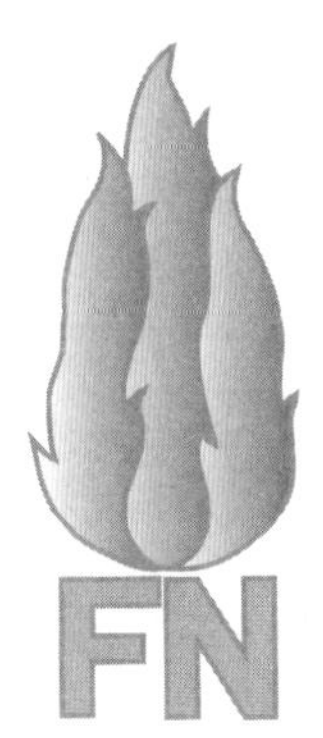

Bibliographie (suite)

Publications sur le FN et l'extrême droite

Ras L'Front : BP 75561, Paris Cedex 12
RÉFLEXes : 21 ter rue Voltaire, 75011 Paris
Résistances : BP 54, B-1060 Saint-Gilles 2, Belgique
Vigilance républicaine : Centre MBE 121, 44 rue Monge, 75005 Paris

Adresses utiles

Les organismes suivants ont pour objectif la recherche et l'information sur le FN et l'extrême droite.

Centre européen de recherche et d'action sur le racisme et l'antisémitisme (Cera) :
78 avenue des Champs-Élysées, 75008 Paris
Tél. : 01 43 59 94 63
Fax : 01 42 25 45 28

Ligue des droits de l'homme :
27 rue Jean-Dolent, 75014 Paris
Tél. : 01 44 08 87 29

Centre de recherches, d'informations et de documentation antiracistes (Crida) :
21 ter rue Voltaire, 75011 Paris
Fax : 01 43 72 15 77
Site Internet :
http://www.anet.fr/aris/crida

Ligue internationale contre le racisme et l'antisémitisme (Licra) :
40 rue de Paradis, 75010 Paris
Tél. : 01 47 70 13 28

Manifeste contre le Front national :
45 rue Rébeval, 75019 Paris
Tél. : 01 48 03 48 48

Mouvement contre le racisme et pour l'amitié entre les peuples (Mrap) :
43 bd Magenta, 75010 Paris
Tél. : 01 44 52 03 03

SOS-Racisme : 14 cité Griset, 75011 Paris
Tél. : 01 48 06 40 00

Index

Le numéro de renvoi correspond à la double page.

Dans la collection
Les Dicos Essentiels Milan

Le dico du multimédia
Le dico du citoyen
Le dico du français
Le dico des sectes

Dans la collection
Les Essentiels Milan

1 Le cinéma
2 Les Français
3 Platon
4 Les métiers de la santé
5 L'ONU
6 La drogue
7 Le journalisme
8 La matière et la vie
9 Le sida
10 L'action humanitaire
12 Le roman policier
13 Mini-guide du citoyen
14 Créer son association
15 La publicité
16 Les métiers du cinéma
17 Paris
18 L'économie de la France
19 La bioéthique
20 Du cubisme au surréalisme
21 Le cerveau
22 Le racisme
23 Le multimédia
24 Le rire
25 Les partis politiques
26 L'islam
27 Les métiers du marketing
28 Marcel Proust
29 La sexualité
30 Albert Camus
31 La photographie
32 Arthur Rimbaud
33 La radio
34 La psychanalyse
35 La préhistoire
36 Les droits des jeunes
37 Les bibliothèques
38 Le théâtre
39 L'immigration
40 La science-fiction
41 Les romantiques
42 Mini-guide de la justice
43 Réaliser un journal d'information
44 Cultures rock
45 La construction européenne
46 La philosophie
47 Les jeux Olympiques
48 François Mitterrand
49 Guide du collège
50 Guide du lycée
51 Les grandes écoles
52 La Chine aujourd'hui
53 Internet
54 La prostitution
55 Les sectes
56 Guide de la commune
57 Guide du département
58 Guide de la région
59 Le socialisme
60 Le jazz
61 La Yougoslavie, agonie d'un État
62 Le suicide
63 L'art contemporain
64 Les transports publics
65 Descartes
66 La bande dessinée
67 Les séries TV
68 Le nucléaire, progrès ou danger ?
69 Les francs-maçons
70 L'Afrique : un continent, des nations
71 L'argent
72 Les phénomènes paranormaux
73 L'extrême droite aujourd'hui
74 La liberté de la presse
75 Les philosophes anciens
76 Les philosophes modernes
78 Guy de Maupassant
77 Le bouddhisme
79 La cyberculture
80 Israël
81 La banque
82 La corrida
83 Guide de l'état
84 L'agriculture de la France
85 Argot, verlan, et tchatches
86 La psychologie de l'enfant
87 Le vin
88 Les OVNI
89 Le roman américain
90 Le jeu politique
91 L'urbanisme
93 Alfred Hitchcock
94 Le chocolat
95 Guide de l'Assemblée nationale
96 À quoi servent les mathématiques ?
97 Le Front national
98 Les Philosophes Contemporains
99 Pour en finir avec le chômage
101 Le problème corse
102 La sociologie
103 Les terrorismes
104 Les philosophes du Moyen Âge
105 Guide du Conseil économique et social
106 Les mafias
107 De la Ve République à VIe la République ?
108 Le crime
109 Les grandes religions dans le monde
110 L'eau en danger ?
112 Mai 68, la révolution fiction
113 Les enfants maltraités
114 L'euro
115 Les médecines parallèles, un nouveau défi
116 La calligraphie
120 Les cathares, une église chrétienne au bûcher
118 Les grandes interrogations philosophiq
119 Le flamenco, entre révolte et passi
117 L'autre monde de la Coupe
121 Les protestants
122 Le fonctionnement de l'esprit, entre science cognitive et psychanal
123 L'enfant et ses peurs
124 Les enjeux de la physique

Responsable éditorial
Bernard Garaude
Directeur de collection – Éditi
Dominique Auzel
Secrétariat d'édition
Véronique Sucère
Correction – révision
Jacques Devert
Iconographie
Sandrine Batlle
Conception graphique
Bruno Douin
Maquette
Isocèle
Fabrication
Isabelle Gaudon
Marie-line Danglades

Crédit photo :
Sygma : pp. 3, 13, 14, 16, 25, 26, 35, 45, 51 / Roger-Viollet : pp. 7, 11 / J.-Y Camus : pp. 8, 19, 28, 37, 38, 46, 48, 55, 57 / D.R. : p. 22

Aubin Imprimeur, 86240 Ligugé. — D.L. juillet 1998. — Impr. P 56524